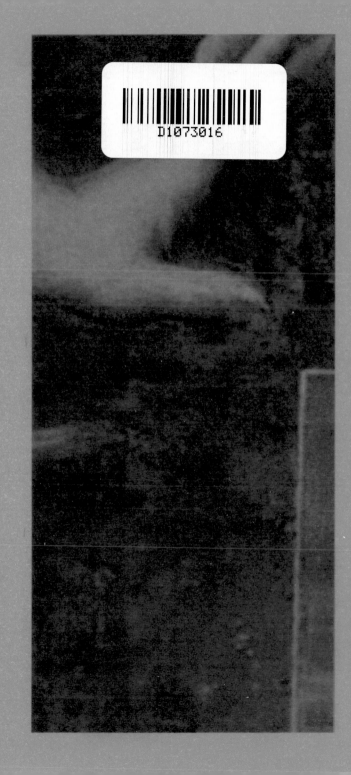

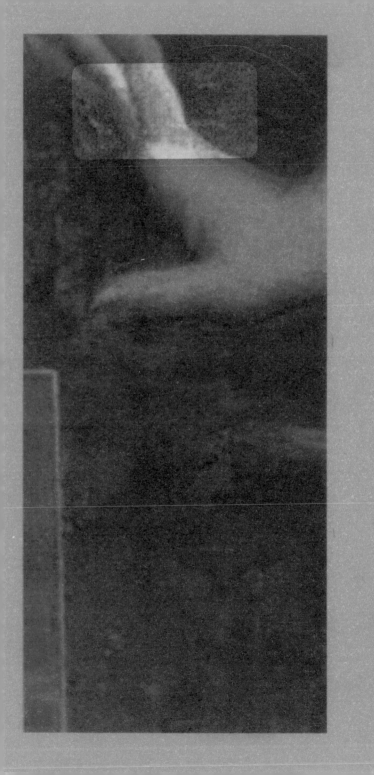

Yoko Tawada, *Wo Europa anfängt* und *Ein Gast*

Yoko Tawada

Wo Europa anfängt
Ein Gast

Erzählungen und
Gedichte

konkursbuch
Verlag Claudia Gehrke

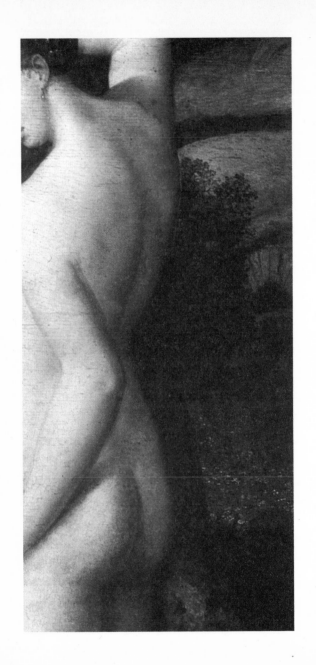

Inhaltsverzeichnis

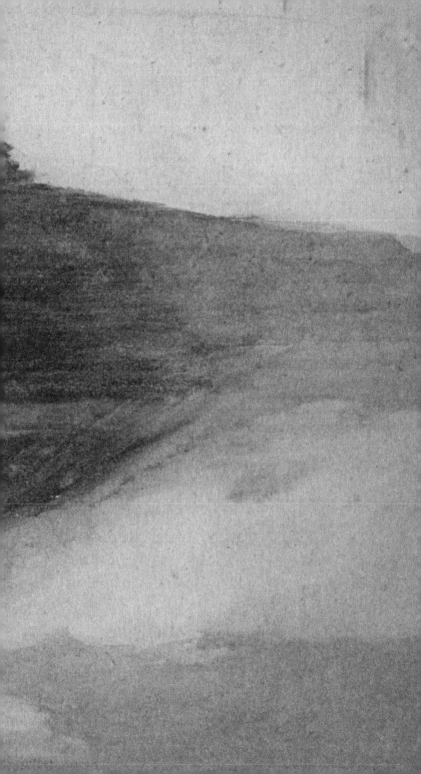

Wo
Europa
anfängt

Wo Europa anfängt

I

Reisen hieß für meine Großmutter, fremdes Wasser zu trinken. Andere Orte anderes Wasser. Vor einer fremden Landschaft müsse man sich nicht fürchten, aber fremdes Wasser könne gefährlich sein. In ihrem Dorf gab es ein Mädchen, dessen Mutter an einer unheilbaren Krankheit litt. Sie wurde Tag für Tag schwächer, und ihre Brüder bereiteten sich schon heimlich auf die Beerdigung vor. Eines Tages, als das Mädchen alleine im Garten unter dem Baum saß, kam eine weiße Schlange und sagte zu ihm, „Geh mit der Mutter zu dem Feuervogel und lass sie seine flammenden Federn einmal berühren, dann wird sie wieder gesund."– „Wo lebt der Feuervogel?", fragte das Mädchen. „Lauf immer weiter nach Westen. Hinter drei gro-ßen Bergen gibt es eine hell beleuchtete Stadt, in deren Mitte auf einem hohen Turm der Feuervogel sitzt."– „Wie können

wir die Stadt erreichen, die so weit entfernt liegt? Man sagt, dass in den Bergen Ungeheuer leben." Die Schlange antwortete, „Du brauchst dich vor ihnen nicht zu fürchten. Wenn du sie siehst, erinnere dich daran, dass du, wie jeder andere Mensch, in einem von deinen vorigen Leben auch einmal ein Ungeheuer warst. Hasse sie nicht, kämpfe nicht gegen sie und laufe immer weiter. Nur eins darfst du nicht vergessen: wenn du in der Stadt bist, wo der Feuervogel lebt, darfst du keinen Tropfen Wasser trinken." Das Mädchen bedankte sich, ging zu seiner Mutter und erzählte ihr alles, was es gehört hatte. Am nächsten Tag machten sie sich auf den Weg. Auf jedem Berg trafen sie ein Ungeheuer, das grünes, gelbes und blaues Feuer spie und sie damit verbrennen wollte; aber jedes Mal, wenn das Mädchen sich daran erinnerte, dass es selbst auch einmal ein Ungeheuer gewesen war, verschwand das Ungeheuer in der Erde. Neunundneunzig Tage lang liefen sie durch die Wälder, und endlich kamen sie in der Stadt an, die von einem fremden Licht hell beleuchtet war. In der brennenden Hitze sahen sie einen Turm mitten in der Stadt, auf dem der Feuervogel saß. Vor Freude vergaß das Mädchen die Warnung der Schlange und trank das Wasser aus dem Teich. In dem Moment wurde das Mädchen neunundneunzig Jahre alt und seine Mutter verschwand in der flammenden Luft.

Ich, als kleines Mädchen, glaubte nicht daran, dass es fremdes Wasser gebe, denn ich dachte immer, der Globus sei eine Wasserkugel, auf der viele kleine und große Inseln schwimmen, das Wasser müsse überall gleich sein. Im Schlaf hörte ich manchmal das Rauschen des Wassers, das unter der Hauptinsel Japans floss. Die Grenze, die die Insel umschloss, bestand auch aus Wasser, das als Welle ununterbrochen ans

Ufer schlug. Wie kann man wissen, wo der Ort des fremden Wassers anfängt, wenn die Grenze selbst aus Wasser besteht?

II

Drei russische Schiffsmannschaften in Uniform standen auf dem Oberdeck und spielten eine Abschiedsmusik, deren fremdartige Feierlichkeit plötzlich etwas Außergewöhnliches in mir anrührte. Auch ich stand auf dem Oberdeck, wie eine Theaterbesucherin, die versehentlich auf die Bühne getreten ist, denn meine Augen beobachteten mich noch mitten aus der Menschenmasse vom Kai her, während ich selbst blind und hilflos auf dem Schiff stand. Andere Passagiere warfen Luftschlangen in verschiedenen Farben zum Kai hinüber. Die roten verwandelten sich in der Luft zu Nabelschnüren – eine letzte Verbindung zwischen den Passagieren und ihren Geliebten. Die grünen wurden zu Schlangen und überreichten die Warnung, die unterwegs wahrscheinlich doch vergessen würde. Ich warf eine der weißen in die Luft. Sie wurde zu meinem Gedächtnis. Die Menschenmasse entfernte sich langsam, die Musik hörte auf und der Himmel wuchs hinter dem Festland. In dem Moment, als meine Luftschlange zerriss, hörte mein Gedächtnis auf zu arbeiten. Das ist der Grund, warum ich nichts mehr von dieser Reise weiß. Die fünfzig Stunden im Schiff bis zur ostsibirischen Hafenstadt und die weiteren hundertsechzig Stunden in der Transsibirischen Eisenbahn unterwegs nach Europa wurden zu einem Leerraum in meinem Leben, den ich nur durch einen Reisebericht ersetzen kann.

III

Aus dem Tagebuch:

Das Schiff fuhr die Küste entlang nach Norden. Es wurde bald dunkel, aber auf dem Oberdeck saßen noch viele Passagiere. In der Ferne sah man Lichter kleiner Schiffe. „Die Fischer fangen Tintenfisch", sagte eine Stimme hinter mir. „Tintenfisch esse ich nicht gerne. Als ich Kind war, gab es jeden dritten Tag gebratenen Tintenfisch zum Abendessen. War es bei dir auch so?", fragte eine andere Stimme. „Ja", antwortete die dritte Stimme, „ich habe sie auch oft gegessen. Ich dachte immer, sie sind Nachkommen der Ungeheuer." – „Wo bist du aufgewachsen?", fragte die erste Stimme.

Die Stimmen, die leise um mich rauschten, wuchsen langsam übereinander. Auf dem Schiff fängt jeder an, eine kleine Autobiografie zusammenzustellen, als ob man sonst vergäße, wer man ist.

„Wo fahren Sie hin?", fragte mich einer, der neben mir saß. „Ich fahre nach Moskau." Er schaute mich erstaunt an. „Weil ich diese Stadt, von der meine Eltern immer erzählten, einmal mit eigenen Augen sehen will." Hatten meine Eltern wirklich immer von Moskau erzählt? Auf dem Schiff fängt jeder an zu lügen. Der Mann schaute mich so entsetzt an, dass ich sofort etwas sagen musste. „Eigentlich interessiert mich Moskau nicht sehr, aber Sibirien möchte ich gerne einmal erleben." – „Was möchten Sie in Sibirien erleben?", fragte er, „was gibt es in Sibirien?" „Ich weiß es noch nicht. Vielleicht gar nichts Besonderes. Aber wichtig ist, dass ich durch Sibirien fahre." Je länger ich redete, desto unsicherer wurde ich. Er ging zu einem anderen Passagier, und bei mir blieb nur das transparente Wort durch.

IV

Ein paar Monate vor der Reise arbeitete ich abends nach der Schule in einer Lebensmittelfabrik. Ein Plakat, das die Reise nach Europa mit der Transsibirischen Eisenbahn anbot, verwandelte die unendliche Distanz nach Europa in eine Summe von Geld.

In der Fabrik wurde die Luft immer gekühlt, damit das Fleisch nicht schlecht wurde. In der Kälte, die ich „Sibirischen Frost" nannte, musste ich das gefrorene Geflügel in Plastik wickeln. Neben dem Tisch stand ein Eimer mit heißem Wasser, in dem ich meine Hände zwischendurch wärmen konnte.

Einmal tauchten drei gefrorene Hühner in meinem Traum auf: Ich beobachtete, wie meine Mutter sie in die Pfanne legte. Als die Pfanne heiß wurde, wurden sie plötzlich lebendig und flogen aus dem Küchenfenster. „Kein Wunder, dass wir nie genug zu essen haben", sagte ich so feindselig, dass es mich selbst erschreckte. „Was sollte ich anderes machen?", fragte meine Mutter und weinte.

Außer Geld verdienen wollte ich noch zwei Dinge vor der Reise tun: Russisch lernen und einen Reisebericht schreiben. Ich schrieb immer einen Reisebericht vor der Reise, damit ich während der Reise etwas daraus zitieren konnte. Denn als Reisende war ich oft sprachlos. Dieses Mal war es besonders günstig, dass ich meinen Bericht vor der Reise geschrieben hatte. Ich hätte sonst nicht gewusst, was ich von Sibirien hätte erzählen können. Ich könnte natürlich auch aus meinem Tagebuch zitieren, aber um ehrlich zu sein: das erfand ich nach der Reise weil ich unterwegs keines geschrieben hatte.

V

Aus dem ersten Reisebericht:

Das Schiff verließ den Pazifik und fuhr auf das Japanische Meer, das Japan von dem Euroasiatischen Kontinent trennt. Seitdem die Überreste der sibirischen Mammute in Japan gefunden wurden, wird behauptet, dass früher eine Landbrücke zwischen Japan und Sibirien existierte. Die Menschen sind vermutlich auch von Sibirien nach Japan gewandert. Japan war also Teil von Sibirien gewesen.

In dem Weltatlas im Lesesaal des Schiffes sah ich Japan, dieses Kind Sibiriens, das seiner Mutter den Rücken kehrte und alleine im Pazifik schwamm. Sein Körper ähnelte dem eines Seepferdchens, das auf Japanisch „Tatsu-no-otoshigo"– das verlorene Kind des Drachens – heißt.

Neben dem Lesesaal befand sich der Speisesaal, der den ganzen Tag leer blieb. Das Schiff rollte auf dem stürmischen Meer, und die Passagiere blieben im Bett. Ich stand alleine im Speisesaal und beobachtete, wie das Geschirr auf dem Tisch hin und her rutschte, ohne von Menschen berührt zu werden. Plötzlich wurde mir bewusst, dass ich schon als Kind von diesem stürmischen Tag genau gewusst hatte.

VI

Drei Jahre nach der Reise erzählte ich einer Frau:

In der Schule mussten wir oft Aufsätze schreiben; darunter waren auch manchmal „Traumberichte". Einmal schrieb ich über den Traum, in dem mein Vater eine rote Haut hatte.

Mein Vater stammt aus einer Kaufmannsfamilie in Osaka. Nach dem zweiten Weltkrieg kam er nur mit einem Bündel

14

nach Tokyo, in dem er unter anderem einen Wecker hatte. Dieser Wecker, den er „Hahn der Revolution" nannte, blieb bald stehen, aber gerade deshalb zeigte er zweimal am Tag die richtige Uhrzeit, auf die man sowieso täglich zweimal zurückkommen musste. „Die Zeit läuft von alleine, dafür braucht man keinen Wecker", verteidigte er immer seinen kaputten Wecker, „und wenn alles so weit ist, wird die Stadt mit den Stimmen der Unterdrückten so voll sein, dass man keinen Wecker mehr hört." Den Grund, warum er seine Heimat verlassen hatte, erklärten seine Verwandten immer in einem feindlichen Ton: „Weil er von der roten Krankheit angesteckt wurde." Ich dachte immer an eine rot entzündete Haut, wenn ich das Wort hörte.

Es war ein riesengroßer Platz, auf dem viele Menschen spazieren gingen. Einige hatten weiße Haare, andere hatten grüne oder goldene, aber alle hatten eine rote Haut. Als ich sie näher betrachtete, merkte ich, dass ihre Haut nicht entzündet, sondern mit roter Schrift beschrieben war. Den Text konnte ich nicht lesen. Nein, es war kein Text, sondern es waren übereinandergeschriebene Kalender. Ich sah zahllose Sterne am Himmel. Auf der Spitze des Turms saß ein Feuervogel und beobachtete den Platz.
Das muss „Moskau" gewesen sein, schrieb ich in meinem Aufsatz, den mein Lehrer lobte, ohne zu merken, dass es sich um einen ausgedachten Traum handelte. Aber welcher Traum ist nicht ausgedacht?

Viel später erfuhr ich, dass diese Traumstadt damals für einige Linke in Westeuropa einen anderen Namen trug: Peking.

VII

Aus dem Tagebuch:

Das Schiff kam im Hafen der kleinen, ostsibirischen Stadt Nachodka an. Die Erde schien unter meinen Füßen zu schwanken. Kaum hatte ich das Gefühl, dass ich eine Grenze, das Meer, hinter mir hatte, sah ich schon den Anfang des Eisenbahngleises, das zehntausend Kilometer lang ist.

Nachts stieg ich in den Zug. Ich saß in einem Abteil mit vier Betten, in das nach mir noch zwei Russen hereinkamen. Die Russin, Mascha, bot mir eingemachte Pilze an und erzählte, dass sie ihre Mutter in Moskau besuchen wolle. „Seitdem ich geheiratet habe und in Nachodka wohne, ist meine Mutter hinter Sibirien", sagte sie. Sibirien ist also die Grenze zwischen hier und dort, dachte ich, was für eine breite Grenze! Ich legte mich auf den Bauch ins Bett und schaute aus dem Fenster. Über den Umrissen tausender von Birken sah ich zahllose Sterne, die kurz vorm Herunterfallen zu sein schienen. Ich holte mein kleines Heft aus der Tasche und schrieb: Als Baby schlief ich in einer mexikanischen Hängematte. Meine Eltern hatten sie besorgt, nicht, weil sie es romantisch fanden, sondern weil ihre Wohnung so eng war, dass es nur noch in der Luft Platz für mich gab. Im Zimmer gab es nichts außer siebentausend Büchern, die dicht an den drei Wänden bis zur Decke aufeinanderlagen. Nachts verwandelten sie sich in Bäume mit eng übereinander wachsenden Blättern. Wenn ein Lastwagen vor dem Haus vorbeifuhr, schaukelte meine mexikanische Hängematte in dem Wald. Aber bei den häufigen kleinen Erdbeben blieb sie mitten im zitternden Haus ganz unbewegt, als ob ein unsichtbarer Faden sie mit dem unterirdischen Wasser verbunden hielt.

VIII

Aus dem Tagebuch:

Als die erste Sonne über Sibirien aufging, sah ich eine end-
lose Reihe von Birken. Nach dem Frühstück versuchte ich,
die Landschaft zu beschreiben, aber es gelang mir nicht.
Das Fenster mit den kleinen Gardinen ähnelte der Leinwand
in einem Kino. Ich saß in der ersten Reihe, und das Bild auf der
Leinwand war zu nah und zu groß. Der Ausschnitt der Landschaft wiederholte sich, indem er andauernd wechselte, und
ließ mich nicht in sich eintreten. Ich begann in einer Sammlung
sibirischer Märchen zu lesen.

Nachmittags trank ich Tee und schaute wieder aus dem Fenster. Birken, nichts als Birken. Beim zweiten Becher Tee un-
terhielt ich mich mit Mascha, aber nicht über die sibirische
Landschaft, sondern über Moskau und Tokyo. Mascha ging
bald in ein anderes Abteil, und ich blieb alleine am Fenster.
Ich langweilte mich, wurde langsam müde. Bald wurde es
mir angenehm, Langeweile zu haben. Die Birken verschwanden vor meinen Augen, und es blieb nur noch ihr Immerwie-
derkommen wie in einem bildlosen Traum.

IX

Aus dem ersten Reisebericht:

Sibirien, „das schlafende Land" (von tatarisch: sib = schlafen, ir = Erde), schlief aber nicht. Deshalb war es auch gar
nicht nötig gewesen, dass der Prinz hierherkam und die Erde
küsste, um sie zu wecken. (Er kam aus einem europäischen
Märchen.) Oder kam er hierher, um Schätze zu finden?
Als der Schöpfer des Weltalls die Schätze auf der Erde verteilte

und über Sibirien flog, zitterte er so sehr vor Kälte, dass seine Hände erstarrten und die kostbaren Steine und Metalle, die er darin hielt, herunterfielen. Um diese Schätze vor den Menschen zu verbergen, bedeckte er Sibirien mit ewigem Frost.

Es war August, und von der Kälte, die die Hände des Schöpfers hatte erstarren lassen, war nichts zu spüren. Die sibirischen Völker, die in meinem Buch auftauchten, waren auch nicht zu sehen, denn die Transsibirische Eisenbahn fährt nur durch Gebiete, in denen Russen leben – eine Spur der Eroberung bezeichnend, eine schmale Verlängerung Europas.

X

Drei Jahre nach der Reise erzählte ich einer Frau:

Moskau war für mich die Stadt gewesen, in der man nie ankommt. Als ich drei Jahre alt war, spielte das Moskauer Künstlertheater zum ersten Mal in Tokyo. Meine Eltern gaben die Hälfte ihres Monatsgehalts aus, um Eintrittskarten für Čechovs „Die drei Schwestern" zu kaufen.

Als Irina, eine der drei Schwestern, die berühmten Worte „Nach Moskau, nach Moskau, nach Moskau … " aussprach, drang ihre Stimme so tief in die Ohren meiner Eltern, dass diese Worte seitdem oft aus ihren eigenen Mündern herausgesprungen sind. Die drei Schwestern kamen auch nie nach Moskau. Die Stadt muss hinter der Bühne gelegen haben. Es war also nicht Sibirien, sondern die Theaterbühne, die zwischen meinen Eltern und der Traumstadt lag.

Auf jeden Fall zitierten meine Eltern, die damals oft arbeitslos waren, gelegentlich diese Worte. Wenn mein Vater zum Beispiel von seinem unrealistischen Plan sprach, einen eigenen

Verlag gründen zu wollen, sagte meine Mutter lachend „Nach Moskau, nach Moskau, nach Moskau ..." Dasselbe sagte mein Vater, wenn meine Mutter von ihrer Kindheit sprach, als ob sie noch einmal Kind sein könnte. Ich verstand natürlich nicht, was sie damit meinten. Ich ahnte nur, dass die Worte etwas mit Unmöglichkeit zu tun hatten. Weil das Wort „Moskau" immer dreimal wiederholt wurde, wusste ich auch nicht, dass es nicht etwa ein Zauberwort, sondern eine Stadt ist.

XI

Aus dem Tagebuch:

Ich blätterte in einer Broschüre, die mir der Schaffner geschenkt hatte. Die Fotos zeigten moderne Krankenhäuser und Schulen in Sibirien. Der Zug hielt an dem großen Bahnhof Ulan-Ude. Zum ersten Mal erschienen im Zug viele nicht russische Gesichter.

Ich legte die Broschüre zur Seite und nahm mein Buch in die Hand. Ein tungusisches Märchen:

Es war einmal ein Schamane, der, indem er jeden Toten auferweckte, keinen einzigen Menschen sterben ließ. Er war dadurch stärker als Gott. Gott schlug ihm einen Wettkampf vor: Der Schamane sollte zwei Stücke Hühnerfleisch, die Gott ihm gegeben hatte, durch Zauberworte in lebendige Hühner verwandeln. Wenn der Schamane das nicht schaffen würde, sollte er nicht mehr stärker sein als Gott. Das erste Stück wurde durch die Zauberworte zu einem Huhn und flog weg, das zweite aber nicht. Seitdem sterben die Menschen. Meistens in Krankenhäusern.

Warum konnte der Schamane nicht das zweite Fleischstück

in ein Huhn verwandeln? War das zweite Stück anders als das erste, oder entzog die Zahl zwei dem Schamanen seine Macht? Die Zahl Zwei beunruhigt mich immer aus irgendeinem Grund.

Ich lernte auch einen Schamanen kennen, aber nicht in Sibirien, sondern viel später in einem Völkerkundemuseum in Europa. Er stand in einem Glaskasten, und seine Stimme kam aus einem Kassettenrekorder, der schon etwas alt war. Dadurch zitterte seine Stimme ganz außergewöhnlich und war lauter als die Stimme, die aus einem Menschenkörper kommt. Das Mikrofon ist die Nachahmung der Flamme, durch die die magische Kraft der Stimme verstärkt wird.

Normalerweise können die Schamanen sich zwischen den drei Zonen der Welt frei bewegen, das heißt, den Himmel sowie die Welt der Toten besuchen, indem sie den Weltbaum hinauf- und hinabsteigen. Aber mein Schamane war in keiner von den drei Zonen, sondern in einer vierten: im Museum. Die Zahl Vier entzog ihm seine Macht endgültig. Sein Gesicht war in Angst erstarrt, sein halbgeöffneter Mund war trocken, und in seinen gemalten Augen brannte kein Feuer.

XII

Aus dem ersten Reisebericht:

Im Speisewagen aß ich einen Fisch, der Omul' hieß. Es gebe im Baikalsee noch mehrere Fischsorten, die eigentlich in Salzwasser gehörten, erzählte mir ein russischer Lehrer, der mir gegenüber saß – der Baikal sei früher ein Meer gewesen. Aber wie war es möglich, dass es hier, mitten auf dem Kontinent, ein Meer gab? Oder ist der Baikal ein durchgehendes

Loch im Kontinent? Dann wäre meine kindliche Vorstellung, dass der Globus eine Wasserkugel sei, doch richtig gewesen. Das Wasser des Baikals wäre dann die Oberfläche der Wasserkugel. Ein Fisch könnte durch das Wasser hindurch die andere Seite der Kugel erreichen.

So schwamm der Omul', den ich gegessen hatte, in derselben Nacht in meinem Körper, als ob er einen Ort finden wollte, wo seine Reise endlich enden könnte.

XIII

Es gab zwei Brüder, deren Mutter, eine russische Malerin, während der Revolution nach Tokyo emigriert war und seitdem dort lebte. Als sie achtzig wurde, äußerte sie den Wunsch, vor ihrem Tod noch einmal ihre Heimat, Moskau, zu sehen. Ihre Söhne besorgten ihr ein Visum und begleiteten sie bei der Fahrt mit der Transsibirischen Eisenbahn. Aber als die dritte Sonne über Sibirien aufging, war die Mutter nicht mehr im Zug. Die Brüder suchten sie vom ersten bis zum letzten Wagen und fanden sie nicht. Der Schaffner erzählte von einem alten Mann, der vor drei Jahren nachts die Waggontür, die er mit der Toilettentür verwechselte, aufgemacht hatte und dadurch aus dem Zug gefallen war. Die Brüder bekamen ein Sondervisum und fuhren die Strecke mit einem Lokalzug zurück. An jeder Station stiegen sie aus und fragten, ob jemand ihre Mutter gesehen habe. Es verging ein Monat, ohne dass sie die geringste Spur von ihr fanden.

Bis zu dieser Stelle erinnere ich mich, aber dann muss ich eingeschlafen sein. Meine Mutter las mir oft Geschichten vor, die den Übergang zu meinem Schlaf so voll ausfüllten, dass die Zeit des Wachseins dagegen an Farbe und Kraft verlor. Viel später fand ich die Fortsetzung der Geschichte zufällig in einer Bibliothek.

Die alte Malerin verlor ihr Gedächtnis, als sie aus dem Zug fiel. Sie erinnerte weder ihre Herkunft noch ihr Vorhaben. So blieb sie in einem kleinen Dorf in Sibirien, das ihr merkwürdigerweise sehr vertraut vorkam. Nur nachts, wenn sie den Zug kommen hörte, war sie beunruhigt, und manchmal lief sie sogar alleine durch den dunklen Wald bis zu dem Gleis, als ob sie von jemandem gerufen worden wäre.

XIV

Als Kind war meine Mutter oft krank gewesen, genauso wie ihre Mutter, die die Hälfte ihres Lebens im Bett verbracht hatte. Meine Mutter wuchs in einem buddhistischen Tempel auf, in dem man jeden Morgen um fünf Uhr schon das Gebet hörte, das ihr Vater, der Hauptpriester des Tempels, mit seinen Schülern verrichtete.

Eines Tages, als sie alleine unter einem Baum saß und einen Roman las, kam ein Student, der den Tempel besuchte, zu ihr und fragte sie, ob sie immer so dicke Bücher lese. Meine Mutter antwortete sofort, sie würde am liebsten einen so langen Roman lesen, dass sie nie damit fertig werden könnte, denn sie hatte nichts anderes zu tun als zu lesen.

Der Student versank einen Moment in Gedanken und dann erzählte er, dass es in der Bibliothek in Moskau einen Roman gebe, der so lang sei, dass ihn kein Mensch in einem Leben durchlesen kann. Er sei nicht nur lang, sondern auch rätselhaft und listig wie die Wälder Sibiriens, deshalb verlaufe man sich in ihm und komme nie wieder zurück, wenn man einmal in ihn hineingegangen sei. Seitdem ist Moskau ihre Traumstadt, deren Zentrum nicht der Rote Platz, sondern die Bibliothek ist. So erzählte mir meine Mutter von ihrer Kindheit. Ich, als kleines Mädchen, glaubte weder an den unendlichen Roman in Moskau, noch an den Studenten, der mein Vater gewesen sein könnte. Denn meine Mutter konnte gut lügen und log auch oft und gerne. Nur wenn ich sie mitten in dem Wald der Bücher beim Lesen sah, fürchtete ich mich doch davor, dass sie eines Tages in einem Roman verschwinden könne. Sie beeilte sich niemals beim Lesen. Je spannender die Geschichte wurde, desto langsamer las sie.

Eigentlich wollte sie nirgendwo ankommen, auch nicht in „Moskau". Sie hätte viel lieber „Sibirien" unendlich groß gehabt. Bei meinem Vater war alles etwas anders: Er kam zwar auch nie nach Moskau, aber dafür gründete er, nachdem er geerbt hatte, seinen eigenen Verlag, der den Namen der Traumstadt trug.

XV

Aus dem Tagebuch:

Auf dem Gang standen immer ein paar Männer und rauchten stark riechende Zigaretten, deren Marke „Stolica" (Hauptstadt) hieß.

„Wie lange fährt man noch bis Moskau?", fragte ich einen alten Mann, der mit seinem Enkelkind aus dem Fenster schaute. „Drei Tage noch", antwortete er und lächelte mit den Augen, die zwischen tiefen Falten lagen. In drei Tagen würde ich tatsächlich Sibirien durchquert haben und dort ankommen,

wo Europa anfängt? Ich merkte plötzlich meine Angst, in Moskau anzukommen.

„Kommst du aus Vietnam?", fragte er mich. „Nein, ich komme aus Tokyo."

Sein Enkelkind schaute mich an und fragte ihn leise: „Wo ist Tokyo?" Der alte Mann streichelte den Kopf des Kindes und antwortete leise aber deutlich: „Im Osten." Das Kind schwieg und blickte einen Augenblick in die Luft, als ob dort eine Stadt zu sehen gewesen wäre. Eine Stadt, die es wahrscheinlich niemals besuchen wird.

Hatte ich nicht als Kind auch immer solche Fragen gestellt? Wo ist Peking? – Im Westen. – Und was gibt es im Osten hinter dem Meer? – Amerika. –

Meine Weltkugel war bestimmt nicht rund gewesen, sondern wie ein Abendhimmel, in dem die fremden Orte wie Feuerwerk blitzten.

XVI

Nachts wachte ich auf. Der Regen klopfte leise an das Fensterglas. Der Zug fuhr immer langsamer. Ich schaute aus dem Fenster und versuchte, in der Finsternis etwas zu erkennen … Der Zug hielt, aber es war kein Bahnhof zu sehen. Die Umrisse der Birken wurden immer deutlicher, ihre Häute immer heller, und plötzlich bewegte sich zwischen ihnen ein Schatten. Ein Bär? Ich erinnere mich, dass viele sibirische Völker die Knochen von Bären begruben, damit die Tiere wieder auferstehen konnten. War es ein Bär, der gerade ins Leben zurückgeführt wurde?

Der Schatten näherte sich dem Zug. Es war kein Bär, sondern ein Mensch. Die dünne Gestalt mit dem von nassen Haaren bedeckten Gesicht streckte ihre Arme nach vorne und kam immer näher. Ich sah das Licht dreier Taschenlampen, die von links kamen. Einmal kurz leuchtete das Gesicht dieser Gestalt auf: Es war eine alte Frau. Sie hatte die Augen zu und den Mund offen, als ob sie schreien wollte. Als sie das Licht der Taschenlampen auf sich spürte, zuckte sie zusammen und verschwand im dunklen Wald.

Das war ein Teil meines Romans, den ich vor der Reise geschrieben und meiner Mutter vorgelesen hatte. In diesen Roman hatte ich keinen heimlichen Rückweg für meine Mutter eingebaut. Denn im Gegensatz zu jenem Roman in Moskau war er gar nicht lang.

„Kein Wunder, dass dieser Roman so kurz ist", sagte meine Mutter, „wenn so eine Frau in einem Roman auftaucht, endet er bald damit, dass die Frau stirbt." – „Warum soll sie sterben. SIE ist doch Sibirien."

„Warum ist Sibirien eine SIE? Du bist genauso wie dein Vater. Ihr habt nur eins im Kopf: nach Moskau zu fahren." – „Warum fährst DU denn nicht nach Moskau?" – „Weil ihr sonst nicht ankommt. Da ich aber hierbleibe, könnt ihr dort ankommen."–„Dann fahre ich nicht dorthin und bleibe auch hier." – „Es ist zu spät. Du bist schon unterwegs."

XVII

Aus dem Brief an meine Eltern:

Europa fängt nicht erst in Moskau an, sondern schon vorher. Ich blickte aus dem Fenster und sah ein mannshohes Schild, auf dem zwei Pfeile gezeichnet waren und darunter jeweils die Worte „Europa" und „Asien". Es stand mitten auf der Wiese wie ein einsamer Zollbeamter.

„Wir sind schon in Europa!", rief ich zu Mascha, die im Abteil Tee trank.

„Ja, hinter dem Ural ist alles Europa", antwortete sie ungerührt, als ob es nichts zu bedeuten hätte, und trank ihren Tee weiter.

Ich ging zu einem Franzosen dem einzigen Ausländer im Wagen außer mir, und erzählte ihm, dass Europa nicht erst in Moskau anfinge. Er lachte kurz und sagte, Moskau sei NICHT Europa.

XVIII

Aus dem ersten Reisebericht:

Der Kellner stellte meinen Borschtsch auf den Tisch und lächelte Sascha, der neben mir mit der Holzpuppe, Matrjoschka, spielte, an. Er nahm die Figur der runden Bäuerin aus ihrem Bauch. Die kleinere wurde auch sofort auseinandergenommen, aus deren Bauch – eine erwartete Überraschung – eine noch kleinere herauskam. Saschas Vater, der die ganze Zeit lächelnd seinen Sohn beobachtet hatte, blickte jetzt mich an und sagte zu mir: „Wenn Sie in Moskau sind, kaufen Sie eine Matrjoschka als Souvenir. Das ist ein typisch russisches Spielzeug."

Viele Russen wissen nicht, dass dieses „typisch russische" Spielzeug erst Ende des neunzehnten Jahrhunderts nach alten japanischen Vorbildern in Russland hergestellt wurde. Ich weiß nur nicht, was für eine japanische Puppe das Vorbild für Matrjoschka gewesen sein könnte. Vielleicht eine Kokeshi, von der meine Großmutter mir einmal erzählt hatte: Vor langer Zeit, als die Menschen in ihrem Dorf noch an bodenloser Armut litten, konnte es manchmal passieren, dass Frauen ihre eigenen Kinder, mit denen sie sonst verhungern hätten müssen, sofort nach der Geburt töteten. Für jedes getötete Kind wurde eine Kokeshi, das heißt Kind-verschwinden-lassen, hergestellt, damit die Menschen nie vergaßen, dass sie auf Kosten dieser Kinder überlebt hatten. Mit welcher Geschichte könnte Matrjoschka später in Verbindung gebracht werden? Vielleicht mit der Geschichte des Souvenirs, wenn die Menschen nicht mehr wissen, was ein Souvenir ist.

„Ich werde eine Matrjoschka in Moskau kaufen", sagte ich zu Saschas Vater. Sascha holte die fünfte Puppe hervor und versuchte, auch diese noch auseinanderzunehmen. „Nein, Sascha, das ist die kleinste", rief sein Vater. „Jetzt musst du sie wieder einpacken."

Das Spiel lief nun rückwärts. Die kleinste Puppe verschwand in die nächstgrößte und diese wiederum in die nächste und so weiter.

Dass unsere Seelen im Traum als Tiere oder als Schatten oder auch als Puppen erscheinen können, davon hatte ich in einem Schamanenbuch gelesen. Die Matrjoschka ist wahrscheinlich die Seele der Russlandreisenden, die im tiefen Schlaf in Sibirien von der Hauptstadt träumen.

XIX

Ich las ein samojedisches Märchen:

Es war einmal ein kleines Dorf, in dem sieben Stämme in sieben Zelten lebten. Im langen harten Winter, wenn die Männer auf die Jagd gingen, saßen die Frauen mit ihren Kindern in den Zelten. Unter ihnen war eine Frau, die ihr Kind besonders liebte. Eines Tages saß sie mit ihrem Kind dicht am Feuer und wärmte sich. Plötzlich sprang ein Funke aus dem Herd und sank auf die Haut ihres Kindes. Das Kind begann zu weinen. Die Frau schimpfte mit dem Feuer: „Ich gebe dir Holz zu essen und du bringst mein Kind zum Weinen! Was soll denn das! Ich werde dich mit Wasser begießen!" Sie goss Wasser in das Feuer und löschte es so aus.

Es wurde kalt und dunkel in dem Zelt, und das Kind begann wieder zu weinen. Die Frau ging zum nächsten Zelt, um neues Feuer zu holen, aber kaum hatte sie das Zelt betreten, erlosch auch dieses Feuer. Sie ging zum übernächsten Zelt, aber dort passierte das gleiche. So verloschen alle sieben Feuer und es wurde dunkel und kalt im Dorf.

„Weißt du, dass wir gleich in Moskau sind?", fragte mich Mascha. Ich nickte einmal und las weiter.

Als die Großmutter des Kindes hörte, was geschehen war, kam sie in das Zelt der Frau, hockte sich vor den Herd und schaute tief hinein. Drinnen im Herd saß eine uralte Frau, die Herrin des Feuers, mit blutender Stirn. „Was ist passiert? Was sollen wir tun?", fragte die Großmutter. Mit einer tiefen dunklen Stimme erzählte die Herrin, dass das Wasser ihre Stirn zerrissen habe und dass die Frau ihr Kind opfern müsse, damit die Menschen nie wieder vergäßen, dass das Feuer aus dem Herzen des Kindes komme.

„Schau aus dem Fenster! Das ist Moskau!", rief Mascha. „Siehst du SIE? Das ist Moskau!"

„Was hast du bloß getan?!", schimpfte die Großmutter mit der Frau. „Das ganze Dorf hat deinetwegen das Feuer verloren! Du musst dein Kind opfern, sonst werden wir alle an der Kälte sterben!" Die Mutter klagte und weinte vor Verzweiflung, aber sie konnte nichts ändern.

„Schau doch aus dem Fenster! Endlich sind wir angekommen!", rief Mascha. Der Zug fuhr immer langsamer.

Als das Kind auf den Herd gelegt wurde, schlugen die Flammen aus seinem Herzen hervor, und das ganze Dorf wurde so hell beleuchtet, als ob der Feuervogel auf der Erde gelandet wäre. In den Flammen sah man die Herrin des Feuers, die das Kind in die Arme nahm und mit ihm in die Tiefe des Lichts verschwand.

XX

Der Zug kam in Moskau an, und eine Frau von Intourist trat auf mich zu und sagte, dass ich sofort nach Hause fahren müsse, weil mein Visum nicht mehr gültig sei.

Der Franzose flüsterte mir ins Ohr:

„Schrei laut, dass du hier bleiben möchtest." Ich schrie so laut, dass die Mauer des Bahnhofs zerbrach. Hinter den Trümmern sah ich eine Stadt, die mir sehr bekannt vorkam: Das war Tokyo. „Schrei lauter, sonst wirst du Moskau niemals sehen!", sagte der Franzose, aber ich konnte nicht mehr, weil mein Hals brannte und meine Stimme weg war. Ich sah einen Teich mitten im Bahnhof und merkte, dass ich einen unerträglichen Durst hatte. Als ich das Wasser aus dem Teich trank, bekam ich Bauchschmerzen und legte mich sofort auf den Boden. Das Wasser, das ich getrunken hatte, wurde immer mehr in meinem Bauch und bildete bald eine große Wasserkugel, auf der tausende von Stadtnamen standen. Ich fand SIE zwischen ihnen. Aber schon begann die Kugel sich zu drehen und die Namen verschmolzen miteinander. Die Namen wurden völlig unlesbar. Ich verlor SIE. „Wo ist sie?", fragte ich, „Wo ist sie?" – „Hier ist sie doch. Siehst du sie nicht?", antwortete eine Stimme in meinem Bauch. „Komm doch zu uns ins Wasser!", schrie eine andere Stimme aus meinem Bauch.

Ich sprang ins Wasser.

Dort stand ein hoher Turm, der von einem fremden Licht hell beleuchtet war. Auf der Spitze des Turms saß der Feuervogel und spie flammende Buchstaben, M,O,S,K,A,U, und diese Buchstaben verwandelten sich: M wurde zu Mutter und gebar mich noch einmal in meinem Bauch. O wurde zu Omul' und schwamm mit S-Seepferdchen. K wurde zu einer Kugel, einer Wasserkugel. U hatte sich schon längst in ein Ungeheuer verwandelt, das mir vertraut vorkam.

Aber was war mit A? A wurde zu einer fremden Frucht, die ich noch nie gegessen hatte – einem Apfel. Hatte meine Großmutter mir nicht von der Warnung der Schlange erzählt, dass man kein fremdes Wasser trinken dürfe? Aber Obst ist doch etwas anderes als Wasser. Warum darf ich nicht die fremde Frucht essen? Also biss ich in den Apfel hinein und schluckte sein saftiges Fleisch hinunter. In diesem Moment verschwanden die Mutter, der Omul', das Seepferdchen, die Kugel und das Ungeheuer vor meinen Augen. Es wurde still und kalt. So kalt war es noch nie in Sibirien gewesen.

Ich bemerkte, dass ich mitten in Europa stand.

Gedichte

石器時代のオリンピック

睡病者のマンモスが
現実の中に身を隠す
今も千日も前から
友よ空は不眠症の太陽を飲み込んだまま
くスとしている
この時さて選手たちが遅刻する
目のふち川をしたらちからとに流れてくる
たびくらげぶらくくくと
夢の会社のビーズマンたち
近づくとぶかく見える
んだく もう遅すぎます
マンモスが腕時計を見て告げる
金属の誕生を予感した稲妻がぱりぱりはじける
空から乳歯が降ってくる
つもくくはがけバックだからはえる原始の森に
寝台特急が到着した
遅刻してきたシーオールアスリート
おやナイナいこが出会いの挨拶て
姿を装て
走り高跳びの練習をする
棒の根キックのふくくから大地を蹴って
てら

跳び上がる度にくくもらもらは
やっぱりスポーツ選手が天才詩人と似てしまう
稲妻に身をたくして
ひびわれた法を挑む
削もひたく落ちたのだ
石の時代は終わった
火よ

Das Mammut (der Feigling)
versteckt sich im Realen

sieben Tage schon leidet der Nachthimmel
an Verstopfung
seit er die von Schlaflosigkeit gequälte
Sonne verschluckt hat
die Olympioniken verspäten sich
(wegen der Dunkelheit)
ziellos schwimmen im blinden Fluss
Oktopus, Qualle und Plankton
die Handlungsreisenden der Traumfirma
sehen kleiner aus je näher sie kommen
es ist schon zu spät! gibt das Mammut
nach einem Blick
auf die Armbanduhr bekannt
klirrend zerplatzt ein Blitz
der die Geburt des Metalls vorhergesehen hatte
Milchzähne regnen vom Himmel
im Urwald
wo Schlinggewächse wuchern
und Bestien brüllen
ist der Schlafwagenexpress eingetroffen
der verspätete Surrealist absolviert
im Nachthemd sein Lauf- und Sprungtraining
er begrüßt jeden mit: Ruhen Sie wohl!
und tritt den Bauch der Erde
(so schön rund wie der seiner Schwester)
bei jedem Sprung in die Höhe aber
verrät sein vom Ernst verzerrtes Gesicht
doch den Sportler oder das Genie
sie halten die Schildkröte unter den Blitz
und lesen das Craquelé der Gesetze:
nicht schlagen sondern schmelzen

こうしてけたのシニフラスチラてらに
はらんだ株のおし（千から次が大きょうがると
氷河時代の目覚まし時計が溶けてしまった

原子力発電所の中から

腐った太陽が株のように出てくる

（より強く より高く）

朝日の織り込まれた小川を

流れていくビニール袋

に入った胎児の死骸

が水泳競技では優勝した

はばたくものを追っかけて

うさぎが走る

カラスの卵を抱えて走る

幾分何度に卵は割れて

くちばしの卵がロから飛び出す

赤く濡れた卵

柱拭しゃすに走り方

チョコレート工場のベンコンベアの上を走る

長距離走では

法律のうさぎが優勝した

（より速く より多く）

電話帳を山積みにした荷車

を押しじかが鞄（アル）たらが走る

ジョギングスーツを着た無意瓶たらが走る

バーナーを使いながら

消防夫たらが走る

燃える株に水をかけたのに

もう遅すぎます

とアナウンスが告げた

空中競技では

灰にうって飛び散った株が優勝した

vor dem makellosen Plastik, Feuer
zog sich die Steinzeit zurück
wenn aus dem Nabel der
schwangeren Schwester Funken sprühen
taut der Eiszeitwecker auf
und läutet
eine verfaulte Sonne rollt
aus dem Atomkraftwerk
(Stärker! Höher!)
im Schwimmwettbewerb siegte
der tote Embryo im Kunststoffsack
der auf Gewebe aus Morgenlicht
den kleinen Fluss herabgetrieben kam
das Kaninchen bedrängt im Lauf
die flügelschlagende Schildkröte
immer wenn es fällt zerbricht das gläserne
Ei das es in seinen Händen
trägt aber dann kommt ein neues
Ei aus seinem Mund
herausgesprungen ein rotes feuchtes
Ei (eine Laufart bei der man
leicht
schwanger wird)
beim Langstreckenlauf auf dem Fließband
der Schokoladenfabrik
siegte der Osterhase
(Schneller! Mehr!)
die Gurus schieben im Lauf Berge
von Telefonbüchern im Kinderwagen vor sich her
die Unbewussten keuchen im Joggingdress
die Feuerwehrleute (sie wollen die brennende
Schwester löschen) saugen im Trab
an den Schläuchen der Wasserpfeifen
es ist zu spät! gab das Mammut bekannt
deshalb siegte im Luftwettkampf
die zu Asche versprühte Schwester

ロンドンの目覚め

炎の傷口が閉じた振りをする暗い舞台で

九つの目玉がビリヤードする

その夢にさからうに

おはようと言わずに

雨傘の言葉で励ますする

散らばる必事かんてかっただ と

だって はら

からまわりするコードの音のしずくが

おまたの鼓膜を打ち続け

光のカレンダーが異国の眠りを横切る時

おまたの背はシシシに砕けて飛び散り

そのカケラのひとつひとつが

人間の消えた街中で恋をする

失われた七つの性が

ふやけたアスファルトの中から甦り

おまたの目覚めの中に立つ

Erwachen in London

Auf der dunklen Bühne die so tut
als hätte die Flammenwunde sich geschlossen
spielen neun Augäpfel Billard
Ohne den Traum zu berühren
ohne „Guten Morgen" zu sagen
versichere ich in der Sprache des Regenschirms:
Also die Notwendigkeit gerettet zu werden
besteht nicht

Ich habe es gewusst
die Tontropfen der leerlaufenden
Schallplatte schlagen
auf dein Trommelfell
wenn der Lichtkalender den Schlaf
der Fremdländer durchquert

Die Späne deiner Knochen fliegen auseinander
Ihre Splitter verlieben sich
einer nach dem anderen
mitten auf den Straßen ohne Menschen
Die verlorenen sieben Geschlechter
kehren aus dem aufgeweichten Asphalt zurück
und stehen mitten im Erwachen

闘牛

音のかけた鐘をたたくハンマ と観衆の拍手する

陶器の空はうばうばら割れそうな

アイスクリーム恋の溶けていく

円形野外劇場の真ん中に横たわった

上等のビフテキ

三百グラム

つけあわせの菜っ葉（無農薬）が夏風にそよぐ

闘牛士は卑猥子の子供だ

鼻を隠していてもいて男の子か女の子かわからない

子供は剣を振り上げて狙ってつける

剣が肉に当ると

ビフテキはわくした

もう一度あてると

ビフテキはのどぐろ腹を上げ

三度目には

にゅうにゅうが生えてキャンバスにふくだ

洗こたらしの青ばった白牛

唐ガラシの花輪を首からさげて

ガンジス大川の方向くふらふら歩いていく

42

Ein Stierkampf

„'s ist soweit," klatschen im Rausch der Erwartung
die Zuschauer mit den verlorenen Köpfen,
dass es die Keramikluft zersprengen möchte.

Eine Eisverkäuferin schmilzt dahin.

Mitten auf der kreisrunden Freilichtbühne
hingestreckt
ein Beefsteak erster Qualität
200 Gramm.
Garniert mit Grünzeug (naturgedüngt),
mit Grünzeug, das flattert im Sommerwind.

Der Stierkämpfer ist: auf dem Rollstuhl ein Kind,
 – ob Junge oder Mädchen, das weiß man nicht,
weil:
es versteckt seine Nase –
es hebt und schwingt sein Schwert und zielt.
Das Schwert dringt ein ins Fleisch,
das Beefsteak gähnt,
beim nächsten Treffer erhebt es heiter die Hüfte
beim dritten
sprießen ihm Hörner, jetzt ist es ein Stier.

Ein fadenscheiniger weißer knochiger Stier.
Ein Senfblütenkranz baumelt von seinem Hals.
Er macht sich torkelnd auf den Heimweg.
In Richtung
Ganges.

Ein Gast

Von jenseits des Urals her
grüßt es in der Sprache des Wassers
Du drehst am Hahn
und es rinnt jetzt in deine Hand
das Wasser eines fremden Landes

Mein in Marco Polo eintätowiertes Auge
kann Europa nicht sehen

In deiner Hand
wird meine Gedichtsammlung eine Speisekarte
Roher Fisch und Rinderzunge
führen ein Telefongespräch
Zünde ich die magere Kerze an
sticht eine leuchtende Gabel in die Lettern

Blutverschmiert
und ohne Wunde
krümmen sich die Lettern vor Lachen
und buchstabieren auf der Tischdecke
ein neues Liebesszenario

Die Klingel ruft Der Vorhang öffnet sich
Auf der Bühne aus einem Sarkophag
der ganz meiner Gebärmutter gleicht
wirst du geboren

帰還

闇の瞳をくハマート打つと
かばちゃの中からふこに飛び出す麦指
ヘイビールの中に忘れていったふハチュラの足首

犯人は誰
小川に浮かぶ足跡を
からすの群がつつばむ

うつぶせに倒れていたはすのからだは
血痕ひとつ残さず消え去り
公共団地の子どもらが皆並び
礼儀正しく強奏

やってきたら
空にふくれに埋もれす
風の中にからにつハバこ

手足切られて本体ぬかれ
頭はそっくり盗まれた
それらの中で
波も浮かぶ
そうそうちはもっの背をつくる
東計薄の中に死人が立つ

46

Eine Rückkehr

Wenn man mit einem Hammer
auf die Pupille der Finsternis schlägt
springen aus dem Kürbis plötzlich hervor
ein Ringfinger
und Aschenbrödels Fußknöchel
die in den Stöckelschuhen
vergessen worden waren

Wer war der Täter?
Die Schatten der Raben
picken nach den Fußspuren
die auf kleinen Flüssen treiben

Die flach auf dem Bauch liegen sollte: Du
bist verschwunden ohne eine einzige Blutspur
Das flinke Gebiss der Siedlungen
Die manierliche Vergewaltigung

Das wär erledigt
Nicht in der Luft
Nicht in der Erde begraben
Nicht einmal ein Geruch im Wind

たとえば

ふと書き間違えたその数字が

このさき愛の書類を背負って

とびあがってくる時

その足をつかまえろ

世界の真似をして跳びあがった

古鯨の手帳

をつかまえろ

囚人たちが

カレンダーをながめて喋っている

とびあがってぷっては指輪に変わり

からからとぷってのつなが

葬式の朝をほのかに照らす

囚人たちが喋っている

Hände und Füße abgeschnitten
der Rumpf herausgezogen
Der Kopf geraubt
Umgeben von soviel Zärtlichkeit
Ganz ohne Tränen
Ihr Stöhnen gleitet über den Messerrücken
Im Haushaltsbuch erheben sich die Toten

Zum Beispiel
diese zufällig falsch geschriebene Zahl
trägt die ganze Sprache der Liebe
auf ihrer Schulter
Wenn sie auffliegt
werden wir ihre Füße packen

Werden wir nach dem Notizbuch
des Wahrsagers greifen
das aufgeflogen ist nach dem Vorbild der Welt

Die Gefangenen kommen
mit Kalendern unter den Armen zurück
Die umherfliegenden Kiesel
verwandeln sich in Ringe
die zart den Morgen der Beerdigung beleuchten
Die Gefangenen kommen
zurück

かもめ

子宮の傷口を抜けて
ワレンチーナ・チェレシコーワ
天使の消えた空に打ち上げられた
始めての女宇宙飛行士

　　　わたしはかもめ
　　　撃たれて死んだ
　　　つもされ焼かれ
　　　こころがまった肝臓は
　　　銀河に消えた

調子はどうに ガガーリンが地上から喜ぶ
シベリアが点になり 地球が点になり
宇宙のおなかが まっぷたつに切り裂かれる

　　　わたしはかもめ
　　　つつの体の中には
　　　いっき宇宙船の影が見えた

盛大な拍手の中で
今 静かに宇宙船が揺れていく
女英雄はおさとのエ写真の中に吸い込まれる

かもめの叫びを真似て星が走る
テレビの画面が真っ暗になる

Möwe

Durch die Wände der Gebärmutter hindurch
wurde Walentina Tereschkowa
in den Himmel geschossen
wo keine Engel mehr sind
Der erste weibliche Kosmonaut
    Ich bin eine Möwe
    und starb unter Beschuss
    war aufgehängt und bin verbrannt
    Die herabgestürzte Leber
    ist in der Milchstraße verschwunden
Wie fühlst du dich?
fragt Gagarin von der Erde aus
Sibirien ist ein Punkt Die Erdkugel ist ein Punkt
Der Bauch des Kosmos reißt mitten entzwei
    ich bin eine Möwe
    im Körper der Mutter
    konnte ich immer den Schatten
    eines Raumschiffs sehen
Unter gewaltigem Applaus zerbirst jetzt
still das Raumschiff Die Heldin wird erbleichend
in eine Fotografie hineingeweht

Die Sterne rennen und ahmen den Schrei
der Möwe nach
Der Monitor wird rabenschwarz

黒鍵

昨日・動詞がひとつ死んだが

誰も気づかなかった

見せかけの野蛮人と呼ばれて

わたしは台所でピアノを弾く

どれふぁしれそ

戦馬のごと黒い血が鍵盤をつたって

指先から・のぼってくる

見えないものだけが

わたしたちを人類に変えていく

アルファベットが盲目のまま

わたしの体内を散歩する

どれふぁしれそ

舌を鞭打つ句読点

沈黙は
いつも
明日
始まる

52

Schwarze Tasten

Gestern ist ein Verb gestorben
niemand hat es bemerkt
Sie nennen mich einen der vorgibt
ein Barbar zu sein
Ich spiele in der Küche Klavier
do re fa ti re so
Des Schlachtrosses schwärzliches Blut
läuft über die Tastatur
und klettert über die Fingerspitzen hoch
Nur die unsichtbaren Dinge
verwandeln uns in Mörder
das Alphabet wird blind
und spaziert durch meinen Körper
do re fa ti re so
Die Interpunktionen die auf der Zunge trommeln
Das Massaker beginnt immer morgen

シベリア付近で恋愛沙汰

錫
チョコレートの包み紙など
どんよりとした目で
むしりながら，窓の外に目を剥く
ドッグを建造したばかりの港町に
ヤクート族の民謡が聞こえる
お人好し
かつおどり
女のいせえび，とののしられて
雨量計がばちんと跳ね上がり
家具を備え付ける以前の心で食いついた
「彼」の指が破れてどろどろになる
好雨植物の不安
毒のあるオメガだから
蛇蝎といっしょに嫌われて
べつの種族に押しやられる
すっかり嫌気がさした，なんてキザなことまで
こわばったヤドリギそっくりな
年下の男に言われて
胸焼けし
しおみずに唾吐いてみせる
物理学者だから，いばっているんだ，あの
オトコ　オムレツ　または
オーム計
乗り合い馬車のなかで蝶ネクタイなど結び直し
見えない図書館の方角へ去っていった
オコメ　オマンジュウ
オトムライ

Eine Liebesaffäre in der Nähe Sibiriens

Das Zinn
das Schokoladenpapier und so weiter
dunkelen Auges
rupfend, späh' ich aus dem Fenster

In der Hafenstadt mit dem frisch errichteten Dock
erklingen die Lieder der Jakuten

Einfaltspinsel
Bonitovogel
Langustenweibchen
ward ich gescholten

Die Regenwaage federt klirrend hoch
„Sein" Finger, in den ich mit noch
unmöbliertem Herzen
gebissen hatte, geht kaputt, wird ganz breiig.
Unruhe unter meinen hydrophilen Pflanzen.
Ich bin nämlich ein giftiges Omega.
Man hasst mich wie Schlangen und Skorpione.
Und rechnet mich einer besonderen Spezies zu.

Wie ekelig! sagt mir mit geübter Affektiertheit
ein junger Mann
so steif wie eine Mistel.
Ich habe Sodbrennen,
zeige, wie man in Brackwasser spuckt.

Physiker! Daher Angeber.
O Mann, Omelett oder
Ohm-Messer.
Im Omnibus richtet er seinen Schmetterlingsbinder
und verschwindet in einer unsichtbaren Bibliothek.
O Reis, o Knödel.
O Beerdigung.

二十一世紀の手まりうた

夜空に大観覧車が浮び上がる

部長がソーセージを食っている
食べられると自分の親指に食いつき
手のひらにむしゃぶりつき
腕も噛みくだいて肩から胸へ
とうとう全部食い尽くして
後には性器だけが残った

埃にまみれて忘れられた性器から
女の体が伸びる
腹から乳房へ首から頭へ
ただ耳だけが伸び忘れた

大観覧車がまわる

女がお月様を食っている
色から青へ
肉からツメへ
全部食い終わると
後には何も残らなかった

Eine Drehorgel aus dem 21. Jahrhundert

Am Abendhimmel schwebt ein Riesenrad

Der Abteilungsleiter kaut an einer Wurst
Als er sie aufgegessen hat
verschlingt er seinen Daumen
stürzt sich auf die Hand und
nagt auch seinen Arm hinweg
und frisst von der Schulter
bis zur Brust schließlich alles auf
Nur das Geschlechtsorgan bleibt übrig

Aus dem staubigen vergessenen Organ
reckt sich ein Frauenleib
vom Bauch bis zu den Brustspitzen
vom Hals bis zum Kopf
nur das Ohr vergaß zu wachsen

Das Riesenrad es dreht sich

Die Mutter verzehrt den Mond
von der Farbe bis zu den Knochen
vom Fleisch bis zum Rhythmus
als sie fertig ist
ist nichts mehr da

すくと

闇におおわれた

鉢の花の

淵　アメリカじゃないですが
麻庫した機関銃の上にすわっても
靴下がわりに足に巻いた包帯
魚網状石灰岩でできた

脳味噌　浮気した株をおせっかいな正義感から捜し
部長の　竈発を得た徒一
その蒸れた大腿から
大砲の音

丸白光の指て
毛引きした雛を毛焼きする真一
そのヒカラビタ膝の皮から
大砲の音

びょうびょうサイレン鳴きて
隙間風を恐がる王一
最後の書類も破いて
その愚を閉のても
まだまだ大砲の音は聞こえてくる
アリーシア屋の裏にだれも知らない道があり
皇居のわく続いているのだ

58

Eine Verjüngungsmethode

Mit einem Plumps!
von Dunkelheit erfüllt:
der Lachsblüten-Schlund

Eine amerikanische Bisamratte
hockt auf einem gelähmten Maschinengewehr
Bandagen statt der Strümpfe um seine Füß'

Ein Hirn aus Kalkstein in Fischlaichkonsistenz
der war der Starke genannt
Anständigkeit hieß ihn die Schwester morden
denn sie hatte fehlgetreten
und sein Chef hat ihn geliebt
Aus seinen schimmelnden Schenkeln

dröhnt es wie von Kanonen

Der war der Wahrhaftige genannt
Mit milchkorallweissen Fingern hatte er
Hühner gerupft und Federn verbrannt
Aus der verdörrten Haut seiner Knie

dröhnt es wie von Kanonen

Der war der Aufrechte genannt
Auf Sandalen ging er schwankend
und ängstigte sich vor Zugluft

Und immer
dröhnt es wie von Kanonen

auch wenn vernichtet die letzte Akte
und geschlossen die Fenster

Hinter der Reinigung gibts eine Straße
die niemand kennt
die führt zum kaiserlichen Abort

拘束の庭

あなた

ライターの中の熱　閑情とはかり詰しこむ

今夜

スープ皿の中から

手のひらが一枚浮かび上がり

あなたの額に詰しかける

その時　額の痛むのは

脳ミソの傷口から

桃の木が一本　伸びるから

あなたの血を吸い上げて

輝き熟れる桃の実の

にまやかなエナケが寄ってくるミツバチのくちびるに

痛い

桃の実ひとつ

熟れ過ぎて

チェス盤の上にぽとり落ちる

Der verabredete Garten

Du
sprichst nur mit dem Prediger
in der Schreibmaschine

Heute abend
greift aus dem Suppenteller
eine Hand
um mit deiner Stirn zu sprechen

Der Kopfschmerz den du dann verspürst
stammt von der Wunde her im Hirn
aus der ein Pfirsichbaum sich streckt
und dein Blut nach oben saugt
die zärtlichen Dornen
der reifeglänzenden Pfirsichfrüchte
tun den Lippen der Bienen die sich nähern
weh

Ein überreifer
Pfirsich
fällt dumpf auf ein Schachbrett

死体のいる葬式

猫の目に映った
松林の奥深くから
ひびわれた風が吹いて
くさった鬱や
からからに乾いた青を
ひくの中にちらかせながら
今日分ぶ子供たちがお寺にやってきた
くらがるはしらく葉はしらく
目ん玉たけ真っ赤にちらちら燃えて
決して学校には行かず
葬式にだけ姿を見せる子供ら
は足の裏がかゆくなら足蹴からかず
鼻の穴からかゆくなら
こんた戦後の空気を吸ってしとかこ
鋪びにナイミのくらうを
シャクがここのと陶の肉に刺して
くっらの中とは
ちららかいとからくくくえってとる

かっては墓穴に
血まみれのキャチとびくれたくさキャ

あの人はとこにちら
子供たらは泡ち着きをなくして
せっかくのくよの日に
あの人のからた見えちこ
破産したストリップ劇場みたいに

Totenfeier ohne Leiche

Im Spiegel der Katzenaugen weht
ein rissiger Wind
tief aus dem Kiefernhain
in ihren Töpfen rütteln sie
verrottetes Haar und trockene Knochen
aus dem Schlaf:
Sonderbar sind die Kinder
die zum Festakt kamen
Weiß die Lippen weiß die Haare
nur die Augäpfel brennen tiefrot und rau
Die nie zur Schule gehn
nur zu Begräbnissen erscheinen die Kinder
Fußsohlen haben sie keine
keine Spuren hinterlassen sie
Auch Nasenlöcher haben sie keine
atmen noch nicht die
Nachkriegsluft
Hemden haben sie keine
die rostigen Alusticker stecken
im Fleisch ihrer Brust
Vor ihnen lächelt servil und verschlagen
Seine Heiligkeit der Tenno

Im leeren Grab
liegt blutiges Kim Chee-Gemüse
aus Korea neben
zerquetschten Bananen

看板だけで、からには神様になって消えちまったか

ことからは

突然あるもので

様れた戦闘機のように

にちちらは

落ちていく

東京の真ん中の

真空へ

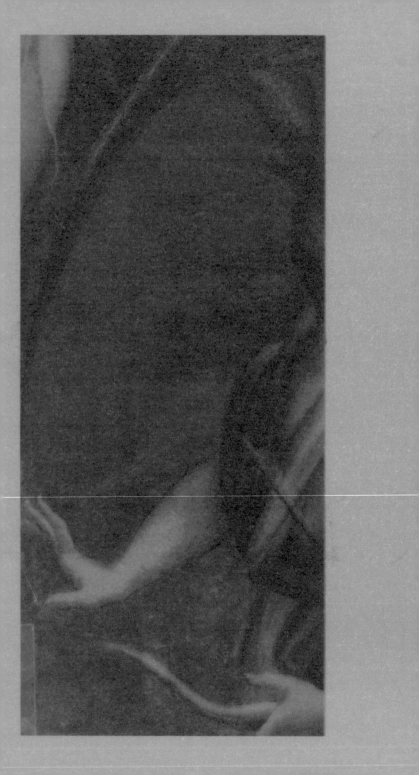

Wo ist er nur was meint ihr?
Die Kinder sind bestürzt
sogar an diesem heiligen Tag
ist sein Körper unsichtbar
Blieb nur ein Plakat
wie vor einem bankrotten Striplokal
wurde sein Körper zum Gott und verschwand?
die Gesichter der Kinder
werden plötzlich bleich
und wie Trümmer zerborstener Kampfflugzeuge
fallen sie
in die leere Mitte Tokyos

この世で一番退屈な人を

一度そこからおれに言ってみたら

おれは其の赤になって

北海の水で頬を冷やす

海は決まり悪げに笑って

サメの脇の下をくすぐる

サメは怒って水冰中の政治家に食いつき

ラジオはこっそこにおしゃくっと始め

電波は雨粒にからかって

台所の愛を打つガス火を狂わせ

ペンを切らっとしていた女の手元を狂わせ

せんたくものはこうに

偶然に

その包丁が

文学史の首をちょきんとはね切ってしまう

Ein arbeitsfreier Tag der Dichterin

Einmal möchte ich dir
die langweiligste Sache der Welt sagen
Du wirst glutrot
und kühlst dir mit dem Wasser
der Nordsee die Stirn
Das Meer lacht verlegen
und kitzelt einen Hai unter den Armen
Der Hai wird böse und beißt einen Politiker
der gerade schwimmt Die Radios
fangen gleichzeitig
ein riesiges Geschwätz an Die elektrischen
Wellen
umschlingen die Wassertropfen
dass das Klopfen am Küchenfenster
aus dem Takt gerät
und auch die Hand der Mutter
die das Brot schneiden wollte
Es war nicht geplant aber zufällig
schneidet ihr Messer
den Kopf der Literaturgeschichte ab

音楽の病院

ぼくぼくぼくと後頭部を撃たれたのに

いくら撃っても死なないと

わたし

倒れませんでした

（はっ　まだ　おぼえてナセ・ムスカイが書をたこのは）

それにそのプラの道づりに

赤い坊トっ血が切れる

しらみそのすうのららっこりと

まるで羽根をむしられたスズメのよう

電に

っふれたしモンが其っ赤っ血を吐く

わたしのソアトはねる棒と仏トンも

枕もとには此の世の端からせみたくし

足もとは三金の栗に届かづつ

胸の上にのっらっらたらたくた死体が

意ガラス超っしはカナーアトにっら見えたっこ

（ここ年しで　まだ自分の曲が決まらづっこふとト）

毎夜まくらの中からまえ出して

わたしの後頭部に突き剖たもオうワらが

結婚生活をすっけつゆるも

十にと本下の

病気の名前を忘れてしまって

花模様のミニスカートをはこた共隊んくわすとこも

これは戦争とはぶっこと

頭に友の買物袋を被っていられたナスともわくわたし

指先がっこっち香い

（快楽は文字の中っらっ　音楽の10が踏み出せづっ）

音のさまさから年もとととく

Sanatorium Musicale

Trotz der drei Schüsse in meinen Hinterkopf
bin ich
– bei diesem blauen Himmel! –
nicht gestorben
(Kam der schräge Ton schon wieder von dir?)
Und dann die Langsamkeit dieser Kugeln
Denen hätte ja ein Säugling ausweichen können
Und dann die Weichheit dieser Kugeln
Ganz wie gerupfte Spatzen
Die zerquetschte Zitrone hustet blutrotes Blut
Mein Bett ist jener Brücke ähnlich
das Kopfende steht auf dem Rand der Welt
das Fußende reicht nicht bis ans Ufer des Styx
Der Leichnam der Mutter
lehnt sich gegen meine Brust
durchs Glasfenster sieht er
nur wie ein Kanarienvogel aus
(Wie kannst du in deinem Alter noch behaupten
dein Stück stehe nicht fest!)
Dieser Schraubenzieher der jede Nacht aus dem
Kopfkissen wächst
und sich in meinen Hinterkopf sticht
lockert das Eheleben ein wenig – nach und nach
Wie lautet der Name
der zehn Jahre jüngeren Krankheit nur?
Das ist kein Krieg! ruft der Soldat
im blumenbedruckten Minirock
Meine Fingerspitzen sind immer blau
ich pflücke welke Auberginen mit
Nachteinkauftaschen über den Köpfen
(Wollust gibts nur in der Literatur die Musik
kommt keinen Schritt voran!)
Ich zähle die Jahre aus meinen Zahnlücken

長年のワイヤ脚は内側からふやけた

一歩

彼ら向きに路み出してみる　背後で

ソンの生えた星たちが囁き始める

囁きは背後を照らし

一歩

彼らくらが一度に

ショーウィンドウのマネキン人形が色褪せていく

ルートは貧屋にむけて

彼ら向きの旅に出よう

道を聞かれても答えぶ

こったところが痛いとて

お医者さんの口紅がアイシャドウになって舞うことも

患者たちがその彼を走り出す

カエルの顔したひとりがアチーンと倒れる

それがわたし

救急車が駆けつけて来てひろってぶ

拍手

この町には醜い顔を嫌う人がいる

あたしは自分の死体を消しコムで消して

彼ら向きに歩き続ける

道路はふやけて薄赤シーツ風の旗を見せる

出世する街路樹

耳のきれいなぶら道路標識

あたしは彼ら向きに歩き続ける

いらいらくぶって目も口もおしおられてしまえ

こちらが始めたら夕涼けるの中て

顔は

一枚の背中

In langen Jahren sind vom Wein die Innenseiten
der Beine aufgeweicht
EIN SCHRITT
Ich versuche rückwärtszugehen Im Hintergrund
beginnen die gehörnten Sterne zu flüstern
EIN SCHRITT
Jedes Mal beim Rückwärtsgehen
werden die Schaufensterpuppen fahl
Die Flöte kommt ins Pfandhaus!
Dann geh ich rückwärts auf Reisen!
Und wenn jemand nach dem Weg fragt antworte
ich nicht
Na wo tuts denn weh?
Der Schnurrbart des Doktors tanzt hoch empor
wie ein Schwalbenschwanz
Die Patienten laufen ihm nach
eine mit einem Froschgesicht stolpert
und fällt um
Das bin ich
Ein Krankenwagen kommt vorbei
und überfährt mich
Applaus
In dieser Stadt gibts Leute
die hassen hässliche Gesichter
Ich radiere meinen Leichnam
mit dem Radiergummi aus
und gehe rückwärts weiter
Die Straße weicht auf wirft Falten
wie Laken auf Krankenhausbetten
Straßenbäume die Karriere machen
Wegweiser ohne Ohren
Ich gehe rückwärts weiter
Welkt! Unnütze Augen unnützer Mund!
Im Abendrot das sich aufzurollen beginnt
ist das
Gesicht
ein Streifen Rücken

Das Leipzig
des Lichts
und der Gelatine

Das Leipzig des Lichts und der Gelatine

Der Kupferkessel hatte zwei Tüllen, eine rechts und eine links. Seine Farbe war mattgelb, der Boden war schwarz verbrannt. Der Zoll machte Mittagspause. Ich saß schräg unter dem geschlossenen Schalter auf der Erde und betrachtete den Kessel. Ich war durstig; schon seit über zwei Stunden hatte ich auf die Rückkehr der Zöllner gewartet. Eine fleischige Frau in schwarzen Stiefeln und einem Kleid mit Sonnenblumenmuster, keine Asiatin, aber bestimmt aus dem „Osten", trug den Kessel in der Hand. Als sie mir irgendetwas sagte, klirrten Gläser in der Nylontasche, die von ihrer Schulter hing. Anscheinend wollte sie mir Getränke verkaufen. Obwohl ich durstig war, schüttelte ich den Kopf. Ich hatte noch niemals Getränke aus einem Behälter gekauft, auf den kein Markenzeichen gedruckt war. Weil ich auch noch nie einen Kessel mit zwei Tüllen gesehen hatte, war ich voller Verachtung. In Südostasien erzählt man sich Geschichten von Schlangen mit drei, fünf, sieben oder neun Mündern, aber nie von Kesseln mit zwei Tüllen. Das konnte nur ein „Mängelexemplar" sein, Zeichen zurückgebliebener Industrialisierung und fehlender Produktkontrolle. Da ich die Frau nicht kränken wollte, sagte ich aber nur: „Früher gab es bei uns manchmal auch solche Kessel."

Sie lachte, als wollte sie sich über mich lustig machen, und spuckte auf den Boden. Weil ich etwas, das ich nicht kannte, mit dem, wie es früher einmal bei uns war, verglichen hatte, wusste sie sofort, dass ich aus dem „Westen" kam, obwohl ich keine Europäerin oder Amerikanerin war. Erst zeigte sie auf die eine, dann auf die andere Tülle und sagte dabei: „Wollen Sie Traubensaft oder Schwarzen Johannisbeersaft?" Ich erschrak. Wenn tatsächlich aus jeder Tülle ein anderer Saft fließt, dann hat dieses Ding ja einen größeren Reiz als die Ware, die ich im „Osten" verkaufen wollte. Vielleicht weiß die Frau aber, dass bei uns keine Trauben und keine Schwarzen Johannisbeeren angebaut werden und will mich täuschen. Das heißt: sie hat nur eine Sorte Saft zu bieten, denkt sich aber, dass ich, wenn ich Traubensaft verlange, glaube, dass es Traubensaft sei, und wenn ich Johannisbeersaft verlange, glaube, dass es Johannisbeersaft sei und auch damit zufrieden sein müsse. Um sie in Verlegenheit zubringen, sagte ich: „Je ein Glas von beiden."
Ich starrte auf den Kessel. Die Frau stellte gelassen zwei Becher vor mir auf und füllte sie. Zu meiner Überraschung hatte die linke Flüssigkeit eine dunklere Farbe als die rechte. Die Frau forderte mit stolzer Miene zehn Mark von mir. Ich dachte zuerst, das ist Betrug! Wie kann ein Getränk, das weder in einer Dose noch in einer Flasche ist, so teuer sein! Dann gab ich ihr aber doch, ohne etwas zu sagen, einen Zehnmarkschein, denn mein Durst war schon unerträglich geworden und ich hatte das unangenehme Gefühl, als wäre das Innere meines Mundes ganz mit Pilzsporen überzogen. Ich tröstete mich auch mit Spekulationen darüber, zu welch hohen Preisen meine Ware würde verkauft werden können,

wenn schon ein Becher dieses einfachen Getränkes fünf Mark kostete! Um den Geschmack der beiden Getränke zu vergleichen, hatte ich schnell, noch bevor die Frau sich angeschickt hatte wegzugehen, aus dem rechten und dem linken Becher je einen Schluck getrunken. Obwohl ihre Farbe verschieden war, schmeckten beide wie Coca Cola ohne Kohlensäure. Ich trank nicht weiter und schaute in das Gesicht der Frau, die noch dastand. Es war viel faltiger geworden und schien plötzlich gealtert. Ich hatte die Geschichte von einer alten Frau gelesen, die Reisenden vergifteten Saft zu trinken gegeben hatte; ich glaube, es war eine russische Volkssage. Wäre es wie in dieser Sage gewesen, wäre die Alte mit jedem Schluck jünger – und ich älter geworden. Aber selbst wenn der Saft, den ich gerade getrunken hatte, ein chemisches Gift enthalten hätte, eine solche Menge hätte mir nicht schaden können, denn seit meiner Kindheit trinke ich Gift, und ein Teil meines Blutes besteht aus Gift. Die Frau ging langsam hinüber zu dem anderen Zollhaus, das wohl für die Leute gedacht war, die von dorther hierher wollten. Die Leute drängten sich zwar, waren aber in schneller Bewegung; dort schien man keine Mittagspause zu machen. Ich war die Einzige, die von hierher dorthin gehen wollte; es stand hier zwar keine Warteschlange, aber da die Zollbeamten nicht zurückkamen, konnte ich keinen Schritt voran. Nicht, dass mich Tore oder Schranken gehindert hätten; wenn ich einfach vorbeigegangen wäre, hätte wahrscheinlich niemand etwas gesagt. Aber es gab einen Schalter und ein Schild, auf dem „Zoll" geschrieben stand, und eine Tafel, auf die jemand „Mittagspause" geschrieben hatte. Daran konnte ich doch nicht so einfach, ohne Erlaub-

nis eingeholt zu haben, vorbeigehen; außerdem kann eine „Mittagspause" nicht bis zum Abend dauern. Ich hatte zu warten. Ich stand auf und schaute hinüber, ob die Beamten nicht doch zurückkämen. Ein Mann in orangefarbener Arbeitskleidung verrichtete kriechend irgendeine Arbeit. Sonst war niemand da. Ich dachte, vielleicht kratzt er Kaugummi vom Boden. Aber als ich genauer hinschaute, rasierte er mit einem Elektrorasierer den Bart, der auf einem Teil des Bodens wuchs. Weil der Bart nun nicht mehr unter der Nase Stalins, sondern auf dem Boden wuchs, wäre es möglicherweise klüger gewesen, auf Geschäftsreisen Stiefel zu tragen, um die zarte Haut meiner Fußsohlen zu schützen. Als ich vor zehn Jahren von drüben einmal an diesem Zollhaus vorbei hierher gekommen war, hatte ich Sandalen getragen. Ich dachte, damals hatte ich mich auch vor nichts gefürchtet! An jenem Tag vor zehn Jahren ging es mit der Warteschlange nicht so recht voran. Weiter vorne in der Schlange hatte ein Mann in hohen Stiefeln gestanden; als er auf den Befehl des Zöllners seine Stiefel auszog, kam ein Plastikbeutel, der voller schwarzer Körner war, zum Vorschein. Der Zöllner fragte ihn: „Warum haben Sie Kaviar in Ihren Stiefeln?"
Der Mann antwortete verlegen: „Weil es gegen Fußpilz hilft." Gleich hinter ihm wartete ein hochgewachsener Herr, der nichts Verdächtiges an sich hatte, aber der Zöllner durchsuchte sein Gepäck genau und hielt jedes seiner Taschentücher über die Flamme eines Feuerzeuges; auf dem letzten wurden die Worte „Lisa, ich liebe dich" sichtbar. Ich hatte noch keine Spionageromane gelesen und wusste nicht, was dieser Satz in Wirklichkeit mitteilen sollte; und wenn er wörtlich zu nehmen war, warum hatte er ihn dann in Geheim-

schrift schreiben müssen? Hinter ihm stand eine Ostasien-
wissenschaftlerin, die koreanische und mongolische Bücher
bei sich hatte und deshalb verdächtig war. Telefonisch wurde ein Spezialist herbeigerufen. Er versuchte den Schriftzei-
chen zu entnehmen, ob es sich um Bücher aus Nord- oder
Südkorea und um Bücher aus der Inneren oder der Äußeren
Mongolei handelte. Obwohl die Kontrollen damals so scharf
waren, musste man nur anderthalb Stunden warten, bis alles erledigt war. Heute lassen sie mich schon seit über drei
Stunden warten. Aber es ist einfach nicht möglich, dass ich
darauf verzichte, dorthin zu gehen und meinen Plan durch-
zuführen. In der Schule habe ich gelernt, dass man dieses
Land nicht wirklich besucht hat, solange man dort seine Waren nicht verkauft hat. Es scheint, als könne man seine Waren im Osten heute leichter verkaufen als vor zehn Jahren;
in Wirklichkeit ist es aber überhaupt nicht leichter geworden.
Meine Vettern zum Beispiel versuchten dort ohne jeden Erfolg, streichholzschachtelgroße Elektrorasierer zu verkaufen.
Die Gründe für ihren Misserfolg sind nicht bekannt. Vielleicht gibt es dort, weil die Wohnungen so groß sind, keinen
Anlass dafür, kleine Produkte zu kaufen, um Platz zu sparen.
Vielleicht sind die Bärte dort aber auch zu dick und zu fest
für ein so kleines Maschinchen. Oder hält man dort große
Maschinen vielleicht für männlicher? Jedenfalls schrieben
die Vettern in einem Brief: „Unser Geschäft war ein Flop."
Einer meiner Halbbrüder versuchte ebenso erfolglos, Fernseher für die U-Bahn, die das Aussehen von Zeitungen hatten,
zu verkaufen. Er schrieb in einem Brief: „Die Leute hier sind
Barbaren, sie kennen die Sitte, in der U-Bahn fernzusehen,
nicht." Ich selbst habe nicht, wie sie, die Absicht, einfallslose

Industrieprodukte zu verkaufen. Ich habe eine bessere Idee. Aber ich kann mit dem Verkauf nicht beginnen, weil ich nicht durch den Zoll komme.

Ich sah, wie ein junger, intelligent wirkender Mann zu dem Mann in Arbeitskleidung, der noch immer den Boden rasierte, hinüberging und ihn anredete. Dieser unterbrach seine Arbeit und nun standen beide an die Wand gelehnt da. Ich wusste nicht, in welcher Beziehung sie zueinander standen, aber sie weckten meine Neugierde, weil sie so lange und heiter miteinander redeten. Das glatte eichhörnchenfarbige Haar des Jüngeren war sauber gescheitelt. Seine Brille hatte einen eckigen schwarzen Rahmen, und sein kleiner Mund war der eines Feiglings. Der Mann in Arbeitskleidung war um zehn Jahre älter, seine Hände sahen aus, als hätte er Baseballhandschuhe an. Die linke Hand hatte er auf eine Schulter des Jüngeren gelegt, dem er immerfort etwas ins Ohr flüsterte. Gleichzeitig stieß er ihm mit der rechten Hand kräftig den Elektrorasierer gegen die Brust. Wenn dieses Schild mit der Aufschrift „Zoll" nicht dagewesen wäre, ich wäre sofort zu den beiden hinübergelaufen und hätte sie mir genauer betrachtet. Der Junge nickte ständig mit dem Kopf, ja er lächelte sogar; also fühlte er sich wohl nicht bedroht. Als der Mann in Arbeitskleidung plötzlich den kleinen Mund des jungen Intellektuellen küsste, seinen Elektrorasierer um diesen kleinen Mund gleiten ließ und über diesen kleinen Mund gleiten ließ, ihn gleiten ließ, bis der kleine Mund verschwunden war, ihn dann über seine Augen gleiten ließ, dass auch die Augen verschwanden und die Nase wegrasiert war, stand der junge Mann ganz blank und ausdruckslos da. Der junge, blanke Ausdruckslose tastete blind umher und nahm dem Mann in Arbeitskleidung den Elektrorasierer ab und rasierte nun, vielleicht aus Rache, das Gesicht des Manns in Arbeitskleidung. Danach warf er, obgleich er doch keine Augen mehr hatte, den Elektrorasierer zielsicher in einen Abfalleimer. Der Elektrorasierer schlug laut auf dem Boden des Metallbehälters auf. Ich mutmaßte, dass die beiden aus dem Westen stammten, weil sie ein noch intaktes Gerät so problemlos wegwerfen konnten.

Ich fragte sie: „Entschuldigen Sie bitte, wann wird der Zoll hier öffnen?"

Beide wendeten mir gleichzeitig ihre augenlosen Gesichter zu und zuckten mit den Schultern.

Stimmte meine Aussprache nicht? Oder haben sie die Bedeutung des Wortes „Zoll" vergessen? Jedenfalls verstanden sie mich nicht. Ich wiederholte, lauter: „Ich frage nach dem Zoll, Zoll. Verstehen Sie?"

Die beiden zuckten nur wieder mit den Schultern. In diesem Augenblick sagte eine Männerstimme hinter mir: „Wo ist denn hier der Zoll?"

Als ich mich umdrehte, stand ein fetter, weicher Mann hinter mir. Seine rechte Hand hatte er in seiner linken, seine linke Hand in seiner rechten Hosentasche. Er sah aus als wäre er gefesselt.

„Hier ist doch der Zoll. Wenn man auf die andere Seite will."

Ich zeigte dabei auf die andere Seite, aber es gab da keine „andere Seite", nur eine stille, von dünnem Zigarettenqualm durchzogene weite Halle. Auch die beiden blanken Ausdruckslosen waren verschwunden, Ich stand nicht mehr vor dem Zollhaus, sondern vor einem unbrauchbar gewordenen Schalter der Berliner U-Bahn. Natürlich wäre ein Zollhaus mitten in einer Stadt ein Unding, und es waren ja tatsächlich keine Zöllner da, aber es beschämte den Feigling in mir, der sich selbst nicht beruhigen und dazu bringen konnte, weiterzugehen, dass ein fetter Fremder ihn aufgeklärt hatte. Zum Schein hob ich ein Knie und setzte mich in Bewegung. Dabei imitierte ich einen an spontane Entscheidungen gewöhnten Touristen: „Na, was schau ich mir denn heute mal an?"

Der Mann sagte kühl: „Mit der U-Bahn kann man aber nicht nach Leipzig fahren."

Ich war bestürzt. Der Mann ist ein Spion! Er will meine Idee stehlen! Er will Produktion und Verkauf der Waren stören! Wie hätte er sonst gewusst, dass ich auf dem Weg nach Leipzig war! Wenn man einen Spion durchschaut, darf man es ihn nicht merken lassen. Ich fragte ihn daher nur: „Ja, wie komme ich dann nach Leipzig?"

Er antwortete sofort: „Am besten mit dem Bus nach Istanbul. Ich zeige Ihnen die Haltestelle", und ging mir voran. Die große Aufschrift „Istanbul" an der Haltestelle Nummer 1 machte mich noch unsicherer. Wie kann ich vom Bus aus erkennen, dass es Leipzig ist, wenn wir in Leipzig angekommen sind? Ich musste zwar heraus aus dem Westen und hinein in den Osten, aber nicht zu weit ... Man sagt, dass es in Istanbul eine große Brücke gibt, auf deren anderer Seite schon nicht mehr Europa ist ... Statt in den Osten zu gehen, wache ich vielleicht außerhalb Europas auf, wenn ich im Bus einschlafe. Der Spion kam mit zwei Fahrkarten zurück. Als ich sah, dass er vorhatte, mich zu begleiten, war es klar: Er will etwas herausfinden.

Vielleicht wäre es besser, ihm alles offen und ehrlich zu erzählen, statt in seine ausgeklügelte Falle zu gehen und meiner geheimsten Ideen beraubt zu werden. Wenn ich nichts verberge, bin ich auch der Sorge entledigt, entlarvt werden zu können. Solange er vom Begriff der „Ware" keine sehr modernen Auffassungen hat, wird er sowieso nicht merken, dass ich von einer Ware spreche.

Im Bus war es recht dunkel. Die Stelle der Fenster nahmen Landschaftsposter ein. Hinaussehen konnte man nicht. Wie hätte ich erkennen können, dass wir in Leipzig angekommen sind? Beunruhigt sagte ich: „Ich würde lieber in einem Fahrzeug mit Fenstern nach Leipzig fahren ..."

Der Spion packte meine Arme und wies mit seinem Kinn auf die Poster und tröstete mich: „Alle Städte bis Istanbul sind auf den Postern abgebildet. Also kein Grund zu verzweifeln."

Vor zehn Jahren war es noch umgekehrt gewesen. Es war zwar verboten, durch die Fenster zu fotografieren, aber man durfte hinaussehen. Ich setzte mich auf einen Sitz in der Nähe des Ausgangs und seufzte übertrieben laut, damit es der Spion, der sich neben mich gesetzt hatte, hören konnte. Anscheinend war ich die Einzige, die gemerkt hatte, dass es keine Fenster gab. Eine achtköpfige Familie beschäftigte sich mit Zeitschriften, Essen und einem Kassettenrecorder; sie unterhielten sich laut und vergnügt in einer Sprache, die ich nicht verstand. Vor mir saßen Jugendliche in schwarzen Lederjacken; sie schaukelten mit hängenden Köpfen auf ihren Plätzen vor und zurück und rauchten Zigaretten. Die Frau hinter mir starrte die ganze Zeit über aufgeregt in einen Spiegel und verbesserte ihr Make-up. Vielleicht habe ich mich geirrt, als ich erwartete, durch das Fenster unbekannte Städte sehen zu können. Was man durch die Fenster sehen kann, sind niemals Städte, sondern Felder und Bahnhöfe. Bahnhöfe mag ich nicht, weil sie mich sentimental machen;

84

und Felder machen mich müde. Der Spion hustete und sagte: „Meinen Sie nicht, es wäre wunderbar, wenn wir von jetzt an zusammenarbeiten könnten?!"

„Zusammenarbeiten? – Aber ... ich bin Hausfrau!"

Der Bus schien losgefahren zu sein; er schwankte furchtbar. Die Familie erhob ein Jubelgeschrei.

„Hausfrau! Das ist doch nur eine Tarnung. Sie sind mit der Produktentwicklung befasst. Sie denken über ein Produkt nach, zu dessen Herstellung Sie keine Angestellten benötigen und wofür Sie keine Steuern zu bezahlen brauchen; es soll direkt aus Ihrem Kopf herauskommen und zu Geld gemacht werden." Der Spion schaute mir triumphierend ins Gesicht. Dann rutschte er näher und drückte seine Lippen auf meine Wange; der harte Gegenstand, den er mir dabei in die Seite drückte, war ein Messer. Ich sollte also nicht im Gespräch in eine Falle gelockt werden; er wollte es anscheinend mit dem Mittel der Bedrohung herausfinden. Die Familie sang zum sü-ßen Klang des Kassettenrecorders ein Liebeslied und merkte nichts. Sie, deren Sprache ich nicht verstand, konnte ich nicht um Hilfe bitten. Einer der Jugendlichen in schwarzen Lederja-cken drehte sich um und flüsterte, wobei er uns anstarrte: „Ich bin gegen die Vermischung der Rassen."

Er verstummte, als der Spion ihm einen gelben Ausweis, den er aus seiner Tasche zog, zeigte.

„Ist es möglich, dass ein Produkt aus dem Kopf heraus-kommt? Ein Produkt kommt doch nur zustande, wenn in ei-ner Fabrik ein Stück Natur bearbeitet wird –"

Dies sagte ich langsam, Wort für Wort, vor mich hin, um mich selbst zu beruhigen. Der Spion legte seine Arme um meine Schultern und lehnte seinen Kopf gegen mich. Von hinten sah es wohl wie die Umarmung zweier Liebender aus.

„Ich möchte dich genauer kennenlernen. Wie verbringst du deine Zeit, wenn du zu Hause bist."

Jetzt schien er mich aus einem anderen Winkel angreifen zu wollen.

„Abends sitze ich oft vor dem Fernseher."

Ich versuchte, nicht zu lügen und bewusst einen heiklen Punkt anzusprechen. Denn ich dachte, wenn der Spion denkt, dass ich mit Bedacht ein unwichtiges Thema wähle, um das Gespräch abzulenken, wird er es vielleicht in einer anderen Richtung weiterführen. Der Gegenangriff des Spions erfolgte sofort: „Warum hast du dein Fernsehgerät dann nicht reparieren lassen? Es ist doch schon seit drei Jahren defekt."

Die Vertrautheit, die in seinem Ton lag, und die Selbstverständlichkeit, mit der er dies sagte, ließen mir keinen Raum, überrascht zu sein.

„Man kann zwar auch in einem defekten Fernseher etwas sehen; normalerweise reflektiert ein ausgeschalteter Monitor das Gesicht des Zuschauers. Aber ich weiß ganz genau, dass du dein eigenes Gesicht nicht anschaust."

Kein anderer kannte mein Leben so gut wie der Spion. Dabei hatte ich über Jahre niemanden zu mir gelassen und niemals darüber geredet, was ich zu Hause tue oder welche Bücher ich lese. Ich dachte, es wäre sicher gut, mit jemandem zusammenzuarbeiten, der mich so gut kannte und so interessiert war an mir wie er. Doch der Gedanke war mir zuwider. Ich bildete mir ein, dass die Hand des Spions, der mir noch immer das Messer in die Seite drückte, unvermerkt rot geworden war und dass an den silberfarbigen Haaren, die auf seinen Fingern wucherten, kleine Schweißtropfen

hingen. Der Bus hielt. Der Fahrer rief den Namen der Haltestelle ins Mikrofon. Aber seine Stimme war zu laut und klang
brüchig; ich konnte ihn nicht verstehen. Die Frau hinter mir
stieg mit vollendetem Make-up aus; dafür stieg eine andere
ein. Sie ähnelte meiner Freundin und trug nur ein Buch unter
dem Arm. Ich dachte, vielleicht wird sie mir helfen. Sie setzte
sich auf den Platz genau hinter mir und sprach mich, als der
Bus angefahren war, sofort an. Weil sie mich angesprochen
hatte, konnte auch der Spion nichts dagegen machen.

Die Frau betrachtete sich die Poster und sagte spöttisch: „So
sehen die Städte alle gleich aus."

Ich drehte nur den Kopf nach hinten und nickte.

Sie erklärte: „Wissen Sie auch, warum? Der Grund ist ganz
einfach. Die Fotografen nehmen immer nur das Motiv ‚hohe
Dächer oben, Wasser unten' auf."

Als ich das hörte, erinnerte ich mich an ein Foto, das ein
Mädchen zeigt, das während einer Silvesterparty allein auf
der Toilette sitzt und weint; auf ihrem Kopf trägt sie einen
Papierhut, der die Form eines Kegels hat. Ich hasste dieses
Foto, das um Spenden für ein Waisenhaus warb, und mied
die Bushaltestelle, wo es angebracht war.

Ich sagte: „Aber wenn ich mir Leipzig vorstelle, denke ich
nicht an Dächer und Wasser."

Ich hatte das Gefühl, unwissentlich etwas Wichtiges gesagt
zu haben; die Frau nickte mehrmals und sagte mir im Ver-
trauen: „Wenn ich den Namen Leipzig höre, dann sehe ich
eine Spinne vor mir, die in einem Schaufenster spazieren
geht, in dem still und froh alte Bücher stehen, die, obwohl sie
heutzutage nur noch schwer zu finden sind, mit ihrem Wert
nicht einmal zu prunken versuchen."

Ich dachte, diese Gelegenheit muss ich nutzen.

„Aber, im Ernst, das ist doch kein Ort, wo Spinnen spazieren gehen. Spinnen machen keine Spaziergänge. Sie haben immer ein klares Ziel vor Augen, wissen aber, dass sie zertreten werden, wenn man sie durchschaut. Deshalb tun sie nur so, als würden sie einen unbeschwerten Spaziergang machen."

Die Frau hatte gemerkt, dass ich ihr indirekt etwas mitteilen wollte, und versuchte, in meinen Augen zu lesen. Der Spion fing an zu lachen.

„Meine Gattin liebt alte und vergessene Dinge; sie hat viel mit Spinnen zu tun."

Er schloss seinen Mund wieder. Hatte nur ich gedacht: wie unnatürlich er die Worte „meine Gattin" ausspricht!

Die Frau schaute mich an, als wollte sie mich etwas fragen. Ich gab meinem Gesicht einen leidenden Ausdruck und wartete darauf, dass sie irgendetwas verstehen würde. Aber sie, vielleicht, weil sie dachte, dass private Probleme in Fahrzeuge keinen Eintritt haben, wechselte das Thema und fragte: „Apropos Ausländer, die nach Leipzig kommen, um sich alte Dinge anzuschauen! Die wollen wahrscheinlich die Herstellung dieser Glasplatten kennenlernen?!"

Ich war entsetzt. Mir fiel keine Antwort ein. Ich war verlegen, weil ich nicht einmal widersprechen konnte. Der Spion neben mir grinste. Die Frau sagte: „Auch die Kunst, Glasplatten mit Gelatine zu beschichten, wird wohl sehr bald von der Erde verschwunden sein. Der Verlust von Kulturgütern vollzieht sich neuerdings mit immer größerer Geschwindigkeit."

Ich wollte nicht, dass sie davon redete.

Der Bus hielt mit einem lauten Krachen an. Vorne stieg eine Feuersäule auf; zitternde Feuerzungen fingen an, sich durch den Bus zu lecken. Alle stürzten schreiend zum Ausgang. Glücklicherweise saß ich gerade neben der Tür, die sich automatisch geöffnet hatte, und konnte als Erste hinausspringen. Ich rannte los, ohne mir die Felder anzusehen. Ich dachte, es ist nur Einbildung, dass mir der Rücken so brennt. Ich stürzte; es war angenehm, beide Handflächen auf die feuchte kühle Wiese zu legen. Ich dachte, gerettet! Da fiel wie ein Sandsack ein Mensch auf mich: „Wir sind gerettet! Gott sei Dank!"

Es war der Spion. Er vertrieb mir das Gefühl, aufatmen zu können. Von den Fingerspitzen her durchlief mich ein Schreck. Wo sind die anderen alle? Wie eine Schildkröte hob ich den Kopf und schaute mich um. Ich sah nur leere Felder, auf denen in der Ferne ein brennender Bus stand. Weit und breit kein Mensch. Ich hatte früher schon einmal eine solche Szene gesehen: Menschenleere Felder, auch in der Ferne nichts außer einem rennenden Etwas, das in Brand geschossen wurde und zu Asche zerfiel.

Wie ein schlechter Schauspieler sagte der Spion: „Wir zwei sind ganz allein, und keiner, der uns stört. Als wären wir auf einer unbewohnten Insel gestrandet. Welch ein Glück!"

Vielleicht meinte er das sogar ernst, wer weiß. Ich musste auf der Hut sein. Ich wollte aufstehen, aber weil der Spion mit seinem schweren Körper auf mir saß, konnte ich mich nicht bewegen. Ich sagte mit heiserer Stimme: „Auf einer unbewohnten Insel wird man seine Waren nicht los."

„Wir brauchen keine Käufer! Es genügt, wenn wir produzieren und Profit machen. – Aber was soll mit den gelatinebeschichteten Glasplatten geschehen?" Ich wollte lügen, weil ich mich vor dem Schweigen fürchtete, aber mir fiel keine Lüge ein. Ich hatte soviel gelogen, dass die Lügen wahr geworden waren und ich gar nicht mehr wusste, was eine Lüge war. Der Spion saß wie ein Luchs auf meinem Rücken. Er streichelte mein Haar und sagte: „Wenn du es nicht sagen willst, soll ich raten? Wenn es stimmt, was ich sage, aber du bestreitest es, wird es dir später leidtun!"

Der Spion hatte sich Folgendes gedacht: In einen von einer Glasplatte geteilten Raum kommen ein nackter Mann und eine nackte Frau; die beiden beschichten die zwei Seiten der Glasplatte mit Gelatine, bis die Platte nur noch halb durchsichtig ist. Dann können beide, nur von der Glasplatte voneinander getrennt, ihre Körper vereinigen. Ich vergaß meine Furcht und lachte. Ich wollte sagen: „Auch in meinem Land gab es früher, als sich Männer und Frauen noch nicht nach Belieben treffen konnten, solche Glasplatten."

Ich bemerkte, dass dies eine unhaltbare Lüge wäre. Ich hatte bis dahin noch nichts von solchen Glasplatten gehört. Also wäre es doch eine Lüge! Jedenfalls musste ich irgendwie weiterlügen und antwortete also: „Der Vorteil von Glasplatten ist, dass sich ein Mann nicht ansteckt, wenn sich die Frau erkältet hat."

Vielleicht war der Spion verärgert und dachte, dass ich mich über ihn lustig machte, denn um seine Würde wieder herzustellen, blickte er mich streng an und erklärte mit ernster Stimme: „Mann und Frau – das heißt: der Westen und der Osten."

Als ich dies hörte, verging mir das Lachen und ich wurde durstig.

Der Spion wird mir nicht erlauben, Wasser trinken zu gehen, bevor ich ihm mein Geheimnis verraten habe. Im Grunde

könnte ich es ihm getrost verraten, aber weil er das Geheimnis unbedingt wissen will, habe ich ihn absichtlich warten lassen, und nun kann ich es nicht mehr so einfach verraten. Ohne dieses Spiel verlöre er sicher sein Interesse an mir. Andererseits, wer weiß, ob er mich nicht umbringt, wenn es ihm zu lange dauert. – Vor meinen Augen wurden die soliden, männlichen Schuhe, welche die weichen Füße des Spions umschlossen, sichtbar; zweifellos Ware aus dem Westen. Ich lag auf die Erde gedrückt da; hatte ich schon verloren oder noch nicht? Wenn mein Ziel gewesen wäre, nicht zu verlieren, dann wäre es besser gewesen, mein Geheimnis zu verraten, dem vor Freude unaufmerksamen Spion mit einem Messer den rechten Fuß samt Schuh abzuschneiden, Schuh mit Fuß in die Tasche zu stecken und nach Hause zurückzukehren. Aber dann hätten meine Verwandten sich beschwert. Sie hätten gesagt: Jetzt bist du in Leipzig gewesen und bringst nicht einmal Leipziger Schuhe und Füße mit! –, aber wäre es nicht trotzdem besser, über den Osten, in den ich nicht gelangen konnte, eine Geschichte zu erfinden (auch wenn meine Verwandten mich auslachen würden), als – den bitteren Suppengeruch des Unkrauts im Grenzgebiet in der Nase – unterzugehen? Ich weiß auch, dass eine Reise, die nur durstig macht, unbedeutend ist; deshalb wäre ein sauberer Schnitt und die Heimkehr das Beste. Aber, bei Licht besehen, war es eben nicht mein Ziel, nicht zu verlieren. Es war also nicht nötig, meine Reise wegen einer Niederlage zu beenden. Außerdem war es ja noch nicht entschieden, ob ich verloren hatte oder nicht. Und wenn es mir zuletzt trotz meiner ungeschickten Lügen gelingen sollte, meine Ware zu verkaufen …
Unvermittelt sagte ich: „Das Besondere an Gelatine ist, dass

sich, je nach Feuchtigkeitsgrad, die Lichtdurchlässigkeit verändert."

Der Spion sprang auf und hockte sich aufrecht neben mich.
Er sagte – sein Ton war plötzlich viel höflicher geworden:
„Feuchtigkeitsgrad … Durchlässigkeit … das Besondere an
Gelatine … Sie haben recht."

Ich richtete mich langsam wieder auf. Es ist mir unangenehm,
mit jemandem zu reden und dabei auf ihn hinabblicken zu
müssen, als wäre ich gewachsen: „Wenn ich zum Beispiel
vor einer mit Gelatine beschichteten Glasplatte stehe und
meinen Körper fest dagegendrücke, verändert sich die Gelatine an den Stellen, die von Auge und Mund feucht werden,
und lässt das Licht durch. Der Rest wird völlig vergessen, weil
man ihn von der anderen Seite nicht sehen kann."

Der Spion wurde unruhig und atmete schneller. Er dachte
sicher, das wissen doch alle … jeder, der eine Kamera in
seiner Hand hält, weiß das … so will ich mit Frauen nicht reden … aber da er seine Fassung bewahrte und nichts sagte,
wollte er wohl noch mehr hören.

„Aber ich lasse mich, gegen eine Glasplatte gedrückt, nur
schwer verkaufen! Der Abdruck einer Frauengestalt erinnert
an Reklame in Zügen oder an Titelblätter von Zeitschriften
und macht immer einen abgenutzten Eindruck."

„Sie meinen, Frauen sind dafür ungeeignet?"

„Frauen sind als Drucksachen unbrauchbar."

Der Spion sagte mit kraftloser Stimme: „Ihre Ware ist also
eine Drucksache? Wie langweilig!"

Bei dem Wort „Drucksache" stellte ich mir einen Berg von
über und über mit Druckbuchstaben beklebten Papierbün-
deln vor. Ich wurde noch durstiger. Mit Papier kann man

92

Feuchtigkeit wegwischen, aber es wird selbst nie feucht und durchsichtig! Eine so trockene Ware wollte ich nicht verkaufen; der Spion war sich anscheinend über meine Konstitution doch nicht im Klaren. Ich stand auf und wollte hingehen, wo es etwas zu trinken gab. Mit diesem Durst konnte ich weder nach Leipzig gehen, noch das Gespräch mit dem Spion fortsetzen. Ich dachte, wenn es hier keinen Automaten mit kohlensäurehaltigen Getränken gibt, dann reicht mir auch eine Tränke für Kühe, wie man sie oft am Rand von Weiden findet. Ich bekam keine einzige Kuh zu Gesicht, aber da die Gegend hier, bevor sie zu Grenzgebiet wurde, zweifellos Weidegebiet gewesen war, musste es auch irgendwo einen Wasserhahn geben! Ich wollte mich auf eine schmutzige, kühle Metallröhre stürzen und trinken, trinken, bis mein Körper zu einem Wassertrog, trinken, bis er durchsichtig geworden wäre.

Als ich eine Zeit lang gegangen war, fiel mir auf, dass der Spion mir nicht folgte. Umdrehen konnte ich mich zwar nicht; aber wenn ich langsamer ging, war hinter mir kein Laut zu hören. Vielleicht hatte er sein Interesse verloren, weil ihm meine Äußerungen nach dem Unfall zu langweilig geworden waren, vielleicht hat er mich missverstanden, weil meine Äußerungen falsch waren, vielleicht hat er die Idee für eine noch verführerischere Ware bekommen. Wie dem auch sei, ein Geschäft, das von keinem Spion gestört wird, hat keinen Sinn.

Ich muss den Spion zurückholen. Aber ich kann nicht. Ich bin zu durstig dazu. Ich dachte, dieses Grenzgebiet kann nicht endlos sein. Irgendwo fängt eine Stadt an und in der Stadt gibt es ein Café, wo ich Schwarzen Johannisbeersaft oder

Traubensaft trinken kann; aber die Felder waren unerwartet weit, ja, sie nahmen kein Ende, und auch die Horizontlinie ließ sich nicht sehen; keine Stadt, kein Dorf. Die Gedanken in meinem Kopf verloren ihren Zusammenhang; wenn sich bisweilen ein strahlendes Wort zeigte, wurde meine Kehle ein wenig feucht und die Schleimhaut durchsichtig – und es war mir, als würde das Licht in meinen Körper fahren. Wenn ich dasselbe Wort noch einmal wiederholte, war es nicht mehr feucht; es hatte sich in einen Schatten verkehrt und wog sehr schwer. Ich musste dann ein anderes Wort suchen, um weitergehen zu können. Ich setzte meine Schritte im Rhythmus einer Druckmaschine, und doch konnte man nicht von einem Druckvorgang sprechen, weil das Papier fehlte: Das heißt, ich dachte nicht an Papierfetzen, die bedruckt und dann weggeworfen würden, vielmehr an verschiedene Wörter, die im Rhythmus des Gehens sich abwechselnd befeuchteten und Licht hindurchließen und dabei dieselbe Geschichte jedes Mal anders zu Gehör brachten. Welche Geschichten? Das kann man zusammenfassend nicht sagen. Und weil sich mit jedem Schritt der Inhalt verwandelt, kann man sie auch nicht drucken. Sie existieren nur, solange man durch Grenzgebiete geht. Ich bin einen weiten Weg gekommen, weil ich glaube, nur mithilfe jener Druckmaschinen lassen sich die Geschichten zu Waren machen. Aber mir scheint, so wie es steht, werde ich mich selbst in eine Druckmaschine verwandeln; noch bevor ich in Leipzig ankomme.

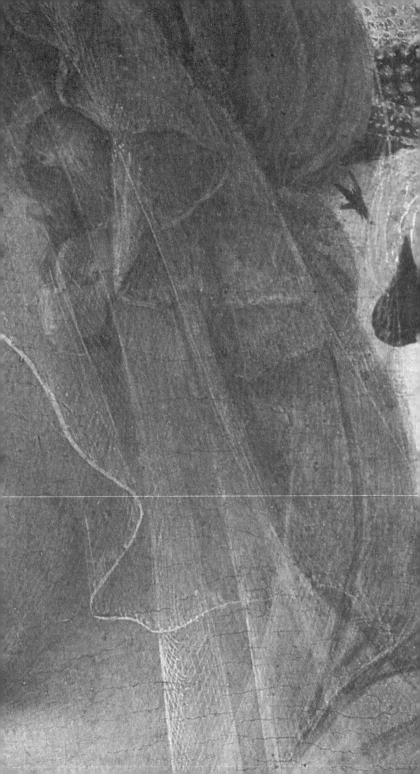

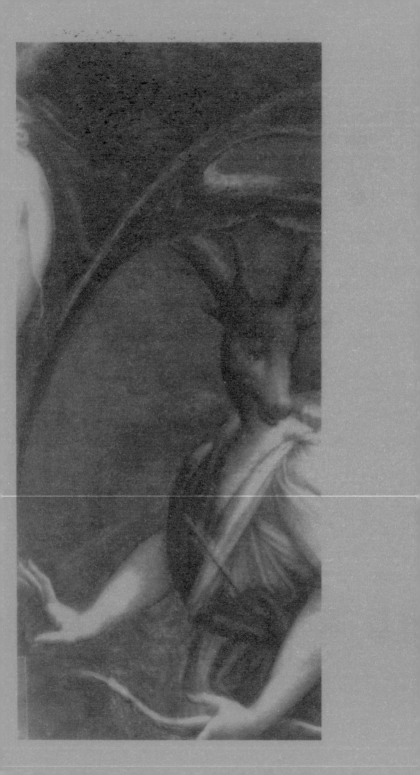

Ein Gast

Ein Gast

I

An einem Nachmittag im Winter – ich hatte Mittelohrentzündung – ging ich durch einen Fußgängertunnel, der von einer S-Bahnstation zu einer Einkaufsstraße führte. Ich hatte um drei Uhr einen Termin bei meinem Ohrenarzt, dessen Praxis am Ende der Einkaufsstraße war. Wie spät mochte es jetzt sein? Kurz vor dem Eingang zum Tunnel hatte ich eine Uhr an der Außenwand eines Kiosks gesehen. Dieser Uhr fehlten die Zahlen drei und sieben. Neben der Uhr stand ein Mann, der gerade aus seinem Werkzeugkasten die fehlenden Zahlen herausholte, um sie auf dem Zifferblatt zu befestigen. Die Frau im Kiosk rief ihm zu, dass es schön sei, wieder die richtige Uhrzeit sehen zu können. Plötzlich erschien es mir seltsam, dass die Zahlen im Kreis angebracht waren, weil Zahlen sonst immer von links nach rechts geschrieben werden.

Als ich in den künstlich beleuchteten Tunnel hineinging, bemerkte ich, dass ich vergessen hatte, nachzusehen, wie spät es war. Im Tunnel war an diesem Tag ein Flohmarkt. Die Menschen, die auf beiden Seiten des Weges standen und die zum Kauf angebotenen Dinge betrachteten, erschienen mir, als kämen sie aus einem Traum. Ihre Stimmen hallten wie aus der Ferne und ihre Körper waren ohne Konturen. Eine

Nacht zuvor hatte ich vom Floh oder vom Markt geträumt. Als ich von den Ohrenschmerzen aufwachte, war mir, als würde in meinem Ohr ein Floh hüpfen. Ich erinnerte mich an eine Erzählung, in der eine junge Frau während einer Kutschfahrt Ohrenschmerzen bekommt. Ob sie die Hauptfigur der Erzählung war oder ob mir nur ihre Schmerzen den Eindruck hinterließen, dass sie eine Heldin war, weiß ich nicht mehr. Ihre Mutter und ihr Geliebter gießen Wasser in das schmerzende Ohr hinein, bewegen ihren Kopf ein paar Mal hin und her und gießen das Wasser dann wieder heraus. Dabei springt ein nasser Floh aus dem Ohr. Die Frau fällt in Ohnmacht, und ihre Mutter schreit um Hilfe, während der Geliebte den Floh – seine Beute – mit den Fingerspitzen fängt und in seinen Mund steckt.

Der Flohmarkt war wie ein illustriertes Lexikon. Auf dem Boden drängten sich kleine Gegenstände aus Kupfer, farbigem Glas, Gummi, Buchenholz, Papier, Nylon und anderen Materialien. An den Wänden des Fußgängertunnels, an denen Plakate von Konzerten und Demonstrationen der letzten Jahre zu sehen waren, hingen Jacken und Mäntel zum Verkauf. Sie waren zwar gründlich gereinigt, zum Teil auch gebügelt, und mit neuen Knöpfen versehen, aber ich bemerkte, dass die ehemaligen Besitzer unsichtbare Spuren auf der Kleidung hinterlassen hatten. Ich hatte Angst vor diesen Spuren. Ich fürchtete mich nicht vor irgendeiner ansteckenden Krankheit, sondern ich hatte Angst vor mir unbekannten Lebensgeschichten. Eine dunkelgraue Jacke zum Beispiel, die mir gleich auffiel, erinnerte mich an einen Nachbarn, über dessen Leben ich nie etwas erfahren habe, obwohl ich ihn schon seit zehn Jahren kannte. Er hatte eine ähnliche Jacke, deren linke Tasche etwas ausgeleiert war. Was trug er immer darin? Jeden Morgen verließ er seine Wohnung, und abends um sechs Uhr kam er wieder zurück. Ich wusste nur den Namen der Bank, bei der er tätig war, sonst nichts. Ab und zu kam aus seiner Wohnung der Geruch von versengten Haaren.

Eine heisere Stimme sprach mich von der linken Seite an, zugleich höflich und drohend. Ich solle die Jacke nicht nur angucken sondern auch anprobieren. Es sei zwar eine Männerjacke, aber sie würde mir gut passen. Ich antwortete nichts, fasste die Jacke nicht an und stand einfach weiter da. Nach einer Weile erschien ein magerer Mann mit einem Gitarrenkoffer. Er blieb vor der Jacke stehen, stellte den Koffer neben sich und probierte die Jacke ohne zu zögern an. Offensichtlich hatte er keine Angst vor dem früheren Besitzer. Damals wusste ich noch nicht, dass auch Jacken, die neu aus einer Fabrik geliefert werden, bereits mir unbekannte Lebensgeschichten tragen und nicht wie unbeschriebenes Papier sind. Die Spuren sind zwar geschickt versteckt, aber manchmal entdeckt man sie aus Versehen. Einmal kaufte ich mir ein Radio, an dem ich im Laden nichts Besonderes bemerkte, aber als ich es zu Hause nachts anschaltete, machte es ein seltsames Geräusch. Dieses Geräusch ähnelte dem heiseren Schrei einer männlichen Stimme. Dann folgte kurz ein kratzendes Geräusch. Ich untersuchte den Apparat mit meiner Lupe und entdeckte im Schalterknopf den Splitter eines Fingernagels. Wie ein Fossil war er in den schwarzen Kunststoff eingelassen. Wahrscheinlich war ein Mensch bei der Fließbandarbeit von einer Maschine überfallen worden und hatte dabei einen Fingernagel oder sogar einen Finger verloren. Der Überfall wurde vermutlich als Unfall bezeichnet. Bei der Warenkontrolle wurde dann der Finger gefunden und entfernt, aber der Fingernagel blieb unentdeckt. Ich bohrte ihn mit meinem Taschenmesser heraus und begrub ihn im Hof. Seitdem höre ich kein fremdes Geräusch mehr aus meinem Radio.

Auf dem Flohmarkt wird nicht versucht, die Spuren der Dinge zu verstecken. Die Stofftiere mit ihren etwas zerquetschten Gesichtern blickten mich ironisch, wütend oder spöttisch an. Romanhefte mit verblassten Titelbildern hatten Kaffeeflecken und fettige Fingerabdrücke von ihren ersten Lesern. Die Hefte können deshalb niemals ihre Leser vergessen, aber die Leser wissen wahrscheinlich nichts mehr über den Inhalt dieser Romane. Noch stärker als die Spuren auf den Dingen interessierte mich aber die Reihenfolge, in der die Gegenstände aufgestellt waren. Ein Bügeleisen und ein Kerzenständer standen nebeneinander, als bestünde eine Beziehung zwischen beiden. In diesem Fall fiel mir sogar ein, wie die Nachbarschaft entziffert werden könnte: Das Bügeleisen produziert Hitze und der Kerzenständer Licht. Beide treten an die Stelle der Sonne, die man vom Fußgängertunnel aus niemals sehen kann.

Auch das Innere meiner Ohren wird nie vom Sonnenlicht beleuchtet. Es möchte nicht beleuchtet werden, auch nicht vom künstlichen Licht beim Ohrenarzt. Denn nur in der Dunkelheit können die Trommelfelle Töne empfangen. Wie spät mochte es sein? Würde ich noch pünktlich zum Arzt kommen? Ein Paar Schlittschuhe und eine Uhr lagen nebeneinander, als wollten sie prüfen, ob ich ihre Beziehung zueinander raten könnte. Ich blieb so lange davor stehen, bis ich eine Lösung gefunden hatte: Schlittschuhe und Uhr, beide drehen sich im Kreis. Wenn die Eiskunstläuferinnen sich im Kreis drehen, müssen sich ihre Schlittschuhe mit ihnen drehen. Dabei sehen die Eiskunstläuferinnen aus wie die Puppen einer Spieluhr.

Am Ende des Tunnels entdeckte ich ein Buch zwischen einem schwarzen Regenschirm und einer Tretnähmaschine. Ich weiß nicht, warum dieses Buch mir besonders auffiel. Ich nahm es in die Hand und bemerkte, dass meine Handfläche dadurch etwas wärmer wurde. Ich sah auf dem Umschlag Buchstaben, die nicht von links nach rechts, sondern im Kreis geschrieben waren. Ich fragte den Mann, der dort stand und die Waren verkaufte, in welcher Sprache dieses Buch geschrieben sei, denn ich kenne keine Sprache, die ihre Buchstaben im Kreis anordnet. Er zuckte mit den Achseln und sagte, das sei kein Buch, sondern ein Spiegel. Ich warf einen Blick auf das Ding, das er als Spiegel bezeichnete. „Mag sein, dass das kein Buch ist", gab ich zu, „aber ich möchte trotzdem wissen, was mit dieser Schrift los ist."

Der Mann grinste und antwortete: „Für unsere Augen sehen Sie genauso aus wie diese Schrift. Deshalb sagte ich, dass es ein Spiegel ist."

Ich rieb mir die Stirn von links nach rechts, als würde ich mein Gesicht umschreiben.

II

Der Ohrenarzt, Herr Mettinger, hatte die Tür halb geöffnet und wartete darauf, dass ich zu ihm ins Zimmer kam. So wie alle anderen Ärzte in dieser Stadt, die mich schon einmal behandelt hatten, wollte auch er hinter einer geschlossenen Tür ganz allein mit mir reden, als hätte ich eine Krankheit, von der kein anderer Mensch außer ihm erfahren dürfe. Ich blieb vor der Schwelle stehen und konnte keinen Schritt weiterge-

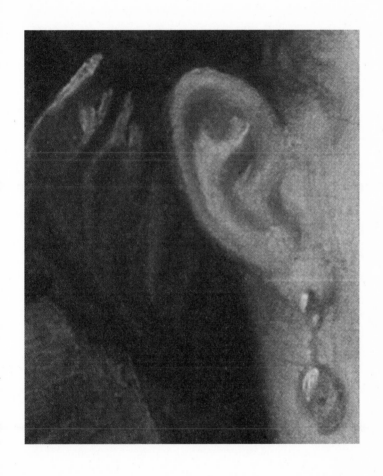

hen, obwohl ich mich schon ein wenig daran gewöhnt hatte, mit einem fremden Mann allein in einem Raum zu sein, denn in dieser Stadt haben sogar Gemüse- oder Fischläden Türen, die sie vom Straßenleben trennen. Ich starrte auf den silbernen Türgriff, der aus der weißen, glatten Tür herauswuchs. Er ist bestimmt kalt, wenn ich ihn anfasse, dachte ich, und die Wärme meiner Hand wird mir dann unangenehm vorkommen. Er wird in meiner feuchten Hand glitschen und sich weigern, damit festgehalten zu werden. Die Arzthelferin von Herrn Mettinger, die mich vom Anmeldetisch her beobachtete, rief mir zu, ich stünde vor dem richtigen Behandlungszimmer. Mich interessierte aber gar nicht, ob es das richtige oder das falsche Zimmer war.

„Kommen Sie herein", sagte Herr Mettinger in einem befehlenden Ton. Daraufhin marschierten meine Beine los wie die eines Roboters. Ich hatte nicht die Angst, die in dieser Stadt als Platzangst bezeichnet wird. Nicht die Geschlossenheit des Zimmers beunruhigte mich, sondern die seltsame Stille, die darin herrschte. Anders als im Fußgängertunnel, in dem ich den Flohmarkt gesehen hatte, gab es hier weder Geräusche noch Stimmen oder überflüssige Gegenstände. Es gab keine Spuren der Patienten, die in diesem Raum behandelt worden waren. Da ich zunächst damit beschäftigt war, mich umzuschauen, zog Herr Mettinger die rechte Hand wieder zurück, die er mir hingehalten hatte. „Setzen Sie sich hin, Frau ..."
Er brach den Satz ab und setzte sich selbst an den Schreibtisch, um den Krankenschein zu suchen, auf dem er meinen Namen nachlesen konnte. Als er versuchte, ihn auszusprechen, suchte ich gerade nach einem richtigen Platz für meinen Stuhl. Ich wollte nicht zu nahe bei Herrn Mettinger sitzen

und schob den Stuhl deshalb etwas nach rechts, so dass ich dem Arzt schräg gegenüber sitzen konnte. Dann starrte ich auf das Weiße seines Kittels, so wie ich, bevor ich zu schreiben anfange, auf ein weißes Blatt starre. Ich erzählte, dass ich Ohrenschmerzen hatte. Als wäre ein Floh im Ohr, wollte ich hinzufügen, aber ich sagte stattdessen: „Es lebt ein Floh in meinem Ohr."

„Wie bitte?", fragte Herr Mettinger und machte dabei ein erschrockenes Gesicht. Einen Moment lang vergaßen die Muskeln seines Gesichtes, die einzelnen Fleischteile zusammenzuhalten. Herr Mettinger war kein fetter Mann, aber sein Fleisch wirkte jetzt überflüssig und nutzlos. Worüber war er erschrocken? Vielleicht hatte ich das „L" in dem Wort „Floh" nicht richtig ausgesprochen, so dass Herr Mettinger ein „R" gehört hatte. Meine Zunge tastete heimlich am harten Gaumen, um nachzuprüfen, ob ich wirklich ein „L" gesagt hatte. Den Unterschied zwischen diesen zwei Lauten kann ich nur mit meiner Zunge wahrnehmen nicht aber mit meinen Ohren, denn mein Tastsinn ist im Umgang mit der fremden Sprache weiter entwickelt als mein Gehör. Der Zweifel, ob ich ein „L" ausgesprochen hatte, verschwand wieder, als der Arzt mich fragte, wie ich auf die Idee käme, dass ein Floh in einem Ohr leben könne. Ich antwortete ihm, ich wüsste aus einer Erzählung, dass es so etwas gibt. Da stand er abrupt auf, ging zum Fenster und rückte eine Blumenvase etwas nach links, damit die Sonne direkt auf seinen Schreibtisch schien. Entschuldigen Sie, mir war es etwas zu dunkel, obwohl wir heute ein herrliches Wetter haben, sagte er freundlich und nahm seinen dicken Füller in die Hand. Der Ausdruck „ein herrliches Wetter" war mir aus irgendeinem

Grund unangenehm. Der Füller begann, auf einem Blatt Papier zu schreiben, er war dicker als mein Daumen und hatte ein Mittelstück, das wie ein goldener Ring aussah.

„Seit wann haben Sie Ohrenschmerzen?" Ich erzählte ihm, dass ich in der letzten Nacht aufgewacht sei, weil etwas in meinem linken Ohr gebrannt hatte. Auf Herrn Mettingers Schreibtisch lagen drei Stapel Papier, die das Sonnenlicht reflektierten. Die Buchstaben verschwanden in dem starken Licht. Während Herr Mettinger Notizen machte, erinnerte ich mich, dass ich in der Nacht zuvor von einem Brand auf einem Blatt Papier geträumt hatte. Die Buchstaben gingen nach und nach in Flammen auf, nur diejenigen, die einen in sich geschlossenen Raum besaßen – wie „O", „P", „D", „Q" und „R" – blieben unbeschädigt. Ich hatte also gar nicht vom Floh oder vom Markt geträumt, ich hatte mich getäuscht und wusste erst jetzt, wovon ich wirklich geträumt hatte.

Herr Mettinger teilte mir mit, dass er mein Ohr untersuchen müsse. Dabei blickte er vorsichtig in meine Augen und suchte nach etwas. Ich hatte keine Ahnung wonach.

„Ja", antwortete ich verunsichert und drehte mich zur Seite, damit er mein schmerzendes Ohr besser sehen konnte.

„Machen Sie das Ohr frei", sagte er in einem zugleich strengen und ängstlichen Ton. Ich schob meine Haare nach hinten, um mein Ohr freizumachen und bemerkte dabei, dass meine Ohren von den Haaren geschützt wurden. Ich war gar nicht mit freien Ohren auf der Straße gewesen. Wie hatte es dennoch passieren können, dass jemand etwas in mein Ohr steckte, das mir Schmerzen verursachte? Herr Mettinger holte ein Instrument, das wie ein Fernrohr aussah, aus der Schublade. Dann schaute er damit in mein Ohr und hielt

106

den Atem an. Nach einer Weile begann er zu stöhnen, legte sein Fernrohr zur Seite und sagte: „Sie sind schwanger."

Das Gesicht des Arztes rötete sich. Ich vermute, er war wütend. Eine fremde Frau wie ich kam einfach zu ihm, anstatt zum Frauenarzt zu gehen, und zwang ihn auf diese Weise, eine Diagnose zu stellen, die außerhalb seines Fachgebietes lag. Ich erinnerte mich daran, dass in dieser Stadt viele Menschen lebten, die sich auf ein einziges Fach spezialisiert hatten und mit nichts anderem mehr zu tun haben wollten. Warum ich gerade hierher und nicht zu einem Frauenarzt gegangen war, konnte ich Herrn Mettinger nicht erklären. Wir schwiegen so lange, bis ich neben dem Fenster einen Kalender entdeckte. Auf dem Kalender waren alle Tage des Jahres eingezeichnet, auch der heutige Dezembertag, aber es war kein einziger Tag dabei, an dem ich hätte schwanger werden können. Es dauerte eine Weile, bis ich das bemerkte. Der Kalender erschien mir auf einmal seltsam: Die Daten waren so aufgeteilt, dass jeder Monat ein Quadrat bildete. Mir fiel ein, dass ich, seitdem ich aufgehört hatte, im Büro zu arbeiten, einen Monat nicht mehr als Quadrat empfand, sondern wie einen Mond, eine Kreisbewegung, an der sich mein Körper orientiert. Es war mir auch nicht mehr wichtig, ob ein Tag ein Sonntag oder ein Montag war. Die Zahlen auf dem Kalender müssten sich von den Linien der Wochentage befreien, Kreise bilden und Monde zeichnen.

„Schauen Sie bitte genauer nach, ob ich wirklich schwanger bin; das kann eigentlich nicht sein. Haben Sie vielleicht einen Floh mit einem Embryo verwechselt?"

Herr Mettinger nahm wieder sein Fernrohr und steckte es dieses Mal tiefer in mein Ohr hinein.

„Was sehen Sie?"

Ich fragte in einem strengen Ton, um ein unangenehmes Gefühl zu überwinden.

„Ich sehe eine Theaterbühne", antwortete er jetzt in einem kindlichen Tonfall.

„Versuchen Sie, genauer in Worte zu fassen, was Sie da sehen."

Ich hörte, dass er einmal tief einatmete und dann sagte: „Ich sehe ein Haus vor einem Hafen, einen Offizier und einige Frauen."

Die Arzthelferin rief Herrn Mettinger von draußen zu, dass ein wichtiges Telefongespräch für ihn da sei, aber er hörte ihre Stimme nicht.

„Wie sehen die Frauen aus, die dort stehen?" Ich stellte weitere Fragen, obwohl meine Neugier nicht mehr so groß war, denn ich ahnte, dass der Arzt ein ungeschulter Theaterbesucher war und spätestens bei dem Auftritt der Frauen nur noch altbekannte, langweilige Bilder sehen würde. Seine Stimme wurde etwas höher, als er mir berichtete: „Die Frauen haben lange Kleider an, aus Seide, wie heißen die noch, ah, ja, Kimono, und eine von ihnen hat ein Messer in der Hand. Jetzt sticht sie es gerade in ihren Bauch, auf der weißen Seide bildet sich ein roter Fleck, er wird immer größer und größer." Ich stöhnte und schob seine Hand einfach weg. „Herr Mettinger, das ist Madame Butterfly, das ist nicht originell, was Sie da beschreiben."

Er wurde rot, und seine Lippen bewegten sich, um nach Worten, die noch gesagt werden könnten, zu schnappen. Aber ich wartete nicht länger, sondern ich verließ ihn, ohne mich zu verabschieden.

III

Das Buch, das ich auf dem Flohmarkt gekauft hatte, war gar kein Buch, sondern ein Kästchen, in dem vier Kassetten waren. Ich hätte mir das schon denken können, als ich auf dem Titelbild die im Kreis angeordneten Buchstaben gesehen hatte. Der Text dreht sich im Kreis, anstatt von links nach rechts gelesen zu werden. „Ein Roman" las ich auf der Titelseite. Darunter standen der Titel und der Name der Autorin sehr klein und undeutlich.

Ich legte die erste Kassette in meinen Kassettenrecorder und drückte auf den Knopf. Eine weibliche Stimme begann, den Roman vorzulesen. Nach einer Weile bemerkte ich, dass ich mich mitten in der Landschaft des Romans befand. Obwohl die Handlung mich gar nicht interessierte, trat ich in den Roman hinein, wie man aus Versehen ein Haus ohne Tür und Wände betritt. Ich hatte keine Schwelle bemerkt, vor der ich mir hätte überlegen können, ob ich hineingehen will oder nicht. Ich bekam Angst vor der Stimme und schaltete das Gerät aus.

Warum konnte ich mich über diese Stimme nicht freuen? Ich hatte doch nach einem Text gesucht, dessen Buchstaben während der Lektüre verschwinden, so wie bei den vielen Romanen, die ich während meiner Pubertät gelesen hatte. Damals ging ich fast jeden Tag zur Bücherhalle in unserem Stadtteil, griff irgendeinen Roman und setzte mich in die Ecke des Lesesaals. Die Lektüre verlief jedes Mal ähnlich: Die erste halbe Stunde musste ich gegen eine Mauer von Buchstaben ankämpfen. Es war eine mühsame Arbeit, ich verlor jedoch nicht die Geduld, weil ich genau wusste, dass

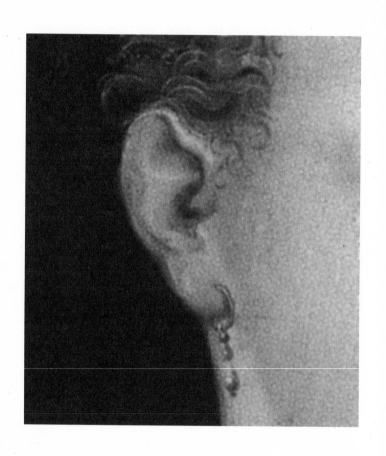

ich irgendwann in den Roman hineingelassen werde. Ich las und las, ohne zu wissen, warum ich mich für das Gelesene interessieren sollte und wohin mich der Roman führen würde. Bald nahm die Geschwindigkeit des Lesens von selbst zu, und die Buchstaben verschwanden vor meinen Augen wie bei einer Bahnfahrt. Wenn der Zug kurz nach der Abfahrt plötzlich schneller wird, verschwinden die Bäume, die direkt neben den Bahnschienen stehen, und man sieht nur noch Landschaften in der Ferne.

Seit langer Zeit habe ich keinen Roman mehr gelesen, dessen Buchstaben ich zum Verschwinden bringen konnte. Es liegt wahrscheinlich nicht an mir, sondern an der Stadt. Es gibt nämlich hier nur Bücher in einer mir fremden Schrift. Seitdem ich hier lebe, ist es mir noch nie gelungen, in einen Roman hineinzutreten. Ich lese und lese, aber das Alphabet verschwindet nie vor meinen Augen, sondern es bleibt wie ein Gitter oder wie Sand im Salat oder wie die Wiedergabe meines Gesichtes im Fensterglas eines Nachtzuges. Wie oft hat mich mein Spiegelbild im Fensterglas daran gehindert, eine nächtliche Landschaft zu genießen. Auch, wenn es dort nichts Besonderes zu sehen gab, wollte ich einen Blick in die Dunkelheit werfen und nicht auf mein eigenes Spiegelbild. Warum war ich noch nie darauf gekommen, dass ein Kassettenrecorder das gesuchte Zaubermittel sein könnte, um die Buchstaben im Roman zu löschen? Nun gelang es mir endlich, das Alphabet zu tilgen. Ich hätte froh darüber sein müssen.

Ich schaltete das Gerät noch einmal an und versuchte diesmal, der Stimme zuzuhören, ohne die Distanz zu ihr zu verlieren. Aber ich konnte es nicht. Entweder hörte ich gar nichts, oder ich befand mich ganz und gar in dem Roman.

Als ich wütend das Gerät ausmachte, klingelte es an der Wohnungstür. Es war mein neuer Nachbar, der vor etwa einer Woche in das Haus eingezogen war. An der schwarzen Sonnenbrille, die seine Augen verdeckte, erkannte ich ihn wieder. Er fragte mich, ob ich etwas Salz für ihn hätte. Das war das zweite Mal, dass ich in dieser Stadt von einem Mann um Salz gebeten wurde. Das erste Mal hatte mich in einem Lokal, in dem nur auf einigen Tischen ein Salzfass stand, der Mann vom Nebentisch gefragt: „Haben Sie Salz?"
Er hatte einen Koffer für ein Violoncello und einen tragbaren Notenständer neben dem Tisch stehen. Mit geschlossenen Augen schüttelte er das Salzfass über seinem Salatteller. Ich glaubte zu hören, wie die Salzkörner auf die Salatblätter fielen. Der Mann hatte keine Angst, mit geschlossenen Augen zu handeln. Ich hatte schon oft beobachtet, dass Menschen, die ein Musikinstrument bei sich haben, vor bestimmten Dingen keine Angst haben. Ich sah auf seinen Salatblättern weiße Salzkörner, die eine Weile fremd leuchteten, aber bald durchsichtig wurden.

Meinem Nachbarn füllte ich eine Teetasse mit Salz und gab sie ihm. Er fragte mich, ob ich Besuch hätte. Seine Lippen waren glatt und etwas feucht, seine Haut hingegen war trocken. „Nein, ich habe keinen Besuch", antwortete ich und bemerkte, dass dabei eine Stimme aus der Küche zu hören war. Es war die Stimme aus dem Kassettenrecorder, den ich doch schon ausgeschaltet hatte.

„Ich habe keinen Besuch, aber es passiert mir manchmal, dass eine Frau plötzlich da ist und ... ich meine nicht eine Frau, sondern eigentlich nur die Stimme einer Frau. Weil die Stimme überall eindringen kann und ..."

„Eine Frau?", fragte er misstrauisch nach.

„Nein, eine Stimme, nicht eine Frau."

Er fragte mich nichts mehr. Als ich mich von dem Nachbarn verabschiedet hatte, ging ich in die Küche zurück. Der Kassettenrecorder lief von selbst. Ich setzte mich auf den Stuhl und tat so, als würde mich die Stimme gar nicht stören. Ich versuchte, über den Mann mit der Sonnenbrille nachzudenken. „Sonnenbrille", „beruflich", „wie alt", „dünn", „Salz", „Lippen", „Turnschuh"... Die Fragen mussten formuliert werden, und sie mussten gestellt werden, wenn ich ihn wiedersehen würde. Ich wusste aber gar nicht, was ich über ihn wissen wollte, was ich über ihn denken wollte, was mir überhaupt denkbar war, denn die Stimme aus dem Recorder zwang mich, in den Roman zurückzukehren. Die Handlung des Romans war langweilig, aber die Stimme ließ mich nicht los. Sie bestimmte die Temperatur des Raums, in dem sich der Roman abspielte. Sie bestimmte den Geruch der Haut, die die Hauptfigur trug. Und der Blick der Figur wurde auch von ihr bestimmt. Ein unglaublich langweiliger Roman, sagte ich laut, aber das half nichts. Wie gefesselt saß ich auf dem Küchenstuhl und hörte der Stimme zu. Nachdem die eine Seite der Kassette zu Ende war und das Gerät von selbst ausging, redete die Stimme weiter in meinem Kopf. Ich konnte kein Wort mehr erkennen, aber die Stimme selbst wurde immer deutlicher.

Nachts kochte ich mir eine Tasse Tee und tat aus Versehen Salz hinein. Ich musste den Tee in das Waschbecken kippen.

Ich blickte lange in das Loch des Waschbeckens, in das der braune Strudel des Tees eingesogen wurde. Ich weiß nicht, wie lange ich vor dem Loch stand, ohne mir neuen Tee zu kochen. Ich konnte die Zeit nicht mehr messen, denn die Zeit verging schneller, wenn die Stimme in mir schneller redete. Redete sie im Stakkato, so stolperte die Zeit. Manchmal hielt sie an, und ich atmete tief ein, damit ich nicht erstickte. Um zwölf Uhr war die Stimme plötzlich nicht mehr zu hören. In diesem Moment sprang mein Radiowecker automatisch an. Nachrichten. Ich lief hin und schaltete das Radio aus.

IV

Seitdem die Stimme aus dem Kassettenrecorder begonnen hatte, mein Leben zu besitzen, war ich aufmerksam für jedes Geräusch geworden, das aus einer Maschine kam. Ich bemerkte zum Beispiel, dass die Schreibmaschine in einem ungleichmäßigen Rhythmus klapperte, obwohl der Abstand zweier Buchstaben immer gleich groß war. Nur zwischen zwei Wörtern hinterließ sie eine besonders große Lücke, in die ein ganzer Buchstabe hineingepasst hätte. Aber das Geräusch aus der Schreibmaschine machte nicht nur bei dieser Lücke, sondern auch an anderen Stellen eine Pause, und wenn ich beim Schreiben dem Geräusch zuhörte, so verstand ich nicht mehr den Sinn der Worte.

Sc hre ibm as chin e!

Die Musik des Klapperns stellte einen Text her, der sich von meinem unterschied, mit falsch getrennten Wörtern und stolperndem Rhythmus.

Damals schrieb ich regelmäßig kleine Artikel, die ich in einer japanischen Frauenzeitschrift als Serie veröffentlichte. Als die

Lektorin mich zum ersten Mal anrief und fragte, ob ich über die Feste in Deutschland schreiben könne, antwortete ich sofort mit nein. Denn ich bin keine Ethnologin und beschäftige mich nicht mit solchen Themen. Die Lektorin erwiderte, dass ich keine wissenschaftlichen Aufsätze schreiben müsse, sondern nur alltägliche Beobachtungen schildern solle, die jede Leserin verstehen könne. Aus finanziellen Gründen übernahm ich dann doch die Arbeit. Beim ersten Artikel merkte ich aber schon, wie schwierig diese Arbeit war. Das erste Thema war der Geburtstag, wahrscheinlich das wichtigste Fest, denn selbst die Menschen, die Weihnachten zu ignorieren versuchen, feiern gerne ihren Geburtstag.

Ich hatte zwar vieles zu schreiben, weil es viele Phänomene gibt, die mich interessieren, aber ich konnte keines von ihnen erklären. Ich schrieb zum Beispiel, dass eine Nachbarin von mir – obwohl sie schon zweiundzwanzig Jahre alt war – an ihrem Geburtstag von ihrer Mutter besucht, gedrückt und geküsst wurde, als wäre sie gerade geboren. Damit die Leserinnen keine falschen Assoziationen bekamen, fügte ich hinzu, dass es hier oft als normale Verhaltensweise betrachtet werde, die eigene Mutter zu küssen. Auch als Erwachsene darf man hier die Mutter küssen, den Geburtstag feiern und von der Mutter ein Geburtstagsgeschenk erhalten. Der Unterschied zwischen Kind-Sein und Erwachsen-Sein sei in Europa nicht so deutlich markiert, schrieb ich und strich den Satz wieder aus. Da ich keine Ethnologin bin, bezweifelte ich, dass ich eine solche Aussage machen konnte. Als Ethnologin hätte ich vielleicht gewusst, warum der Geburtstag hier so wichtig ist. Warum feiert man eigentlich den Geburtstag? Weil man wieder ein Jahr gelebt hat, ohne zu sterben? Ich

verzichtete auch hier auf eine Erklärung und schrieb stattdessen, dass man der betreffenden Person nicht vor dem
Geburtstag gratulieren dürfe, da das Unglück bringe. Da fiel
mir plötzlich eine Erklärung für das Geburtstagsfest ein. Eine
Person feiert vielleicht deshalb ihren Geburtstag, weil sie sich
an diesem Tag von ihren Mitmenschen unterscheiden kann.
Sie hat im Unterschied zu den anderen eine besondere Beziehung zu diesem Tag. Ich schrieb, dass die Menschen hier
auf der Suche nach etwas seien, das sie von den anderen
unterscheidet. Drei Minuten später strich ich den Satz wieder
aus, denn ich bemerkte, dass viele Menschen an demselben
Tag Geburtstag haben, und mir fiel außerdem ein, dass man
hier oft und gerne über Sternzeichen redet. Ein Sternzeichen
besitzt man aber nicht für sich allein, sondern gemeinsam
mit ungefähr einem Zwölftel der Menschheit. Deshalb konnte meine Annahme nicht stimmen, dass der Geburtstag einen Menschen von den anderen Menschen unterscheidet.
Ich schrieb dann nur, dass man hier gerne den Geburtstag
feiert und dass man auch gerne über Sternzeichen redet, besonders nachts, nachdem eine lange Diskussion über Politik
beendet worden ist.

Ich war nicht zufrieden mit meinem ersten Artikel, weil ich
nichts von dem, was ich beschrieb, erklären konnte. Die
Lektorin meinte aber, ich brauche nichts zu erklären, denn
Aberglaube lasse sich meistens nicht erklären. Ich versprach
ihr, dass ich beim nächsten Mal über Weihnachten schreiben würde und danach über den Tag der deutschen Einheit.
Weil ich keine eigene Schreibmaschine besaß, ging ich oft
zu Martina, einer Studentin, die gegenüber wohnte. Wie in

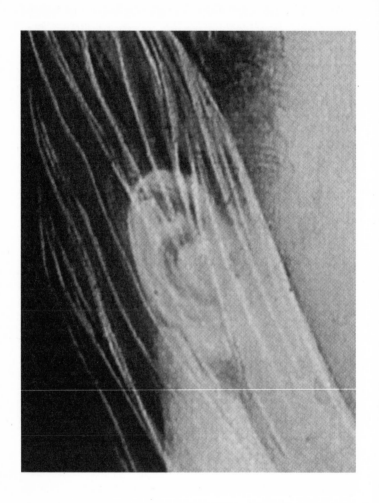

118

einem Ritual fragte ich sie jedes Mal, ob sie zufällig ein paar Stunden ohne Schreibmaschine arbeiten könne. Ich hatte sie noch nie schreiben gesehen. Sie hatte mir auch noch nie von irgendeiner Arbeit erzählt, an der sie schrieb. Immer wenn ich ihre Wohnung betrat, sagte sie, sie arbeite im Moment nicht, weil sie keine Ruhe dafür fände. Außer einem Salzfass, das auf dem Esstisch stand, sahen alle Gegenstände in ihrer Wohnung unberührt aus. Martina erklärte mir einmal, dass sie in ihrer Wohnung kaum etwas benutze, weil sie oft woanders schlafe. Dennoch war es für mich nicht zu verstehen, warum ihre Wohnung wie ein Hotelzimmer aussah, in dem lange kein Gast mehr übernachtet hat, ein Hotelzimmer, das nicht mehr benutzt wird, weil die Spur eines unglücklichen Geschehens nicht mehr weggewischt werden kann.

An diesem Tag fing ihr Wecker an, schrill zu klingeln, als ich ihr die übliche Frage stellen wollte. Anstatt den Wecker auszumachen, machte sie die Augen zu. Dabei bewegten sich ihre Lippen. Anscheinend zählte sie lautlos Zahlen. Nach einer Weile ging sie absichtlich ganz langsam zum Wecker und drückte auf den Knopf. Der Wecker verstummte endlich. Obwohl ich nichts gesagt hatte, blickte sie mich erschrocken an, als hätte ich ihr einen Vorwurf gemacht. Beschämt und stolz zugleich beantwortete sie dann eine Frage, die ich ihr nicht gestellt hatte. Sie mache eine Übung. Sie übe, jedes Geräusch auszuhalten, das die Katastrophe anzukündigen scheine, ohne dabei in Hektik oder in Panik zu geraten. Martina ging einmal in der Woche zu einem Therapeuten. Bei jedem Geräusch, das in ihre Ohren hineinsprang – sei es das Klingeln des Weckers, das Bremsen eines Autos oder auch die

Stimmen fremder Kinder auf der Straße – dachte sie, dass sie sich vor nichts mehr schützen könne.

„Wovor willst du dich schützen?"

Martina beantwortete meine Frage nicht. Stattdessen beantwortete sie eine Frage, die ich ihr nicht gestellt hatte: „Nein, das will ich nicht."

Ich schwieg, und Martina erzählte weiter: Vor ein paar Tagen war sie zur U-Bahn gegangen und hatte kurz vor dem Eingang der Station ein Mädchen schreien gehört: „Papa, komm'al!"

Martina konnte das Mädchen nicht sehen, weil es in einem der Gänge stand, zu denen die Treppen führten. Martina hörte nur die Stimme und konnte nicht mehr die Treppen hinuntergehen. Sie blieb stehen, bis sie sich wieder bewegen konnte. Dann lief sie nach Hause zurück. Sie hatte nicht mehr die Kraft, ihre Freundin, mit der sie verabredet war, zu besuchen. Die Stimme des Mädchens war wie eine unsichtbare Handgranate in ihr Ohr hineingestürzt und explodierte dann lautlos in ihrem Körper. Nachdem das geschehen war, blieb Martina drei Tage lang in ihrer Wohnung und redete mit keinem Menschen. Ich deutete vorsichtig an, dass ich auch einmal von einer Stimme besessen gewesen war. Dass ich mich noch immer in diesem Zustand befand, konnte sie nicht wissen. Überhaupt machte sie sich keine Gedanken über den Zustand anderer Menschen. Es war aber nicht so schlimm, von einer Stimme besessen zu sein.

„Im Gegenteil, zum Schluss fand ich die Stimme sogar reizvoll", sagte ich in einem absichtlich fröhlichen Ton, der aber gar nichts an Martinas Gesichtsausdruck änderte. Sie richtete zwar ihren Blick auf mich, aber es war deutlich zu spüren, dass sie mich nicht verstanden hatte. Ich schlug ihr vor, immer mit einem Walkman auf die Straße zu gehen, damit die Ohren geschützt seien. Sie holte ihren Walkman aus der Schublade des Schreibtisches und probierte aus, ob er noch funktionierte. Ich fragte sie, ob sie schon mit unserem neuen Nachbarn gesprochen hätte. „Welchen Nachbarn meinst du?" Sie habe keinen neuen Nachbarn gesehen.

Als ich in meine Wohnung zurückgehen wollte, kam Martinas Freund, um sie abzuholen. Mit seinem Auftreten verschwand die drückende Luft. Ich atmete tief und langsam ein. Dabei vermisste ich meine Kassette so sehr, dass ich mich sofort von den beiden verabschiedete und mit der Schreibmaschine in meine Wohnung zurückging.

Ich konnte an diesem Tag und noch Tage danach nicht mit der Schreibmaschine arbeiten, denn die Stimme aus dem Kassettenrecorder wurde immer lauter und lauter, bis sie schließlich das Klappern der Maschine übertönte. Ich schaltete mehrmals am Tag den Recorder aus, aber er schaltete sich von allein wieder an.

Möchtest du nicht gerne, dass ich schreibe? Ich stellte der Stimme zum ersten Mal eine hörbare Frage.

Oder hast du etwas gegen geschriebene Buchstaben?

Es war keine Antwort zu hören. Ich legte meine Hände auf den Pausenknopf des Recorders, damit er schwieg. Da fing mein Radiowecker automatisch zu sprechen an. Ich verstand den technischen Zusammenhang zwischen den beiden Geräten nicht. Nachrichten.

Auch die Stimmen aus dem Radiowecker konnte ich nicht lange ertragen. Aber nicht, weil ich keine andere Stimme als die von der Kassette mehr hören wollte. Im Gegenteil, das Radio befreite mich für kurze Zeit von der Stimme des Romans. Aus dem Radio kamen andere Stimmen in meine Wohnung hinein: Stimmen von Politikern, Stimmen von Hafenarbeitern, Stimmen von Literaten ... Ich hörte ihnen aber nicht lange zu. Ich kehrte immer wieder zu der Stimme des Romans zurück und wusste nicht, ob ich ihr wirklich entfliehen wollte.

V

Es war mein Geburtstag.

Auf dem Schreibtisch verrenkten sich zehn schmerzende, dünne Finger. Sie waren aus einer kleinen Hand herausgewachsen, die, wie ich nach einer Weile bemerkte, meine eigene war. Die Fenster waren geschlossen, wie es im Traum oft der Fall ist. Aber dieses konnte kein Traum sein. Im Traum kommt mir normalerweise nichts seltsam vor und mir fehlt auch nichts. Jetzt aber fehlte mir vieles. Zuerst tastete ich mit einem krummen Zeigefinger nach meinem rechten Ohr und fand es nicht. Wo war mein rechtes Ohr? War es vom Schreibtisch heruntergefallen? Hatte es überhaupt dort gelegen?

Wohin gehört ein rechtes Ohr?

In den Unterleib natürlich, in den Unterleib gehört das rechte Ohr, sagte mir eine Stimme. Ich suchte nach dem linken Ohr. Es war auch nicht dort, wo ich es vermutet hatte. Die Luft war wie eine Masse aus geknetetem Weizenmehl. Nein, die Luft war nicht schwer, sondern die Stimme einer Frau hatte meine Ohren verstopft, und das Trommelfell konnte nicht mehr vibrieren.

„Alle Löcher sind mit der Stimme zugestopft", sagte ich laut, denn ich saß nicht allein in der Küche, sondern mit zwei Gesprächspartnerinnen, mit Gudrun und ihrer Schwester.

Sie waren damit beschäftigt, eine Speise in einer Schüssel umzurühren, und hörten nicht, was ich sagte.

„Wir sind bald fertig", sagte Gudrun und warf mir einen sorgenvollen Blick zu. Ich erinnerte mich vage, dass ich zehn Menschen zu einer Feier eingeladen hatte. Nur wusste ich in diesem Moment nicht mehr, was der Anlass zu dieser Feier war. Gudrun und ihre Schwester waren eine Stunde zu früh gekommen und erklärten mir nicht warum. Ich war zu feige, um sie nach dem Grund zu fragen. Vielleicht wussten sie schon, dass ich unfähig war, Gäste zu empfangen. Sie machten mir keine Vorwürfe, als sie sahen, dass ich noch nichts vorbereitet hatte.

„Wo hast du Salz?", fragte Gudrun oder ihre Schwester. „Ich habe kein Salz." – „Warum hast du kein Salz?"

Gudrun und ihre Schwester haben fast die gleiche Stimme, so dass ich nicht sagen kann, wer gerade spricht, wenn ich ihre Lippen nicht sehe. Sie redeten davon, dass sie zur Zeit zu viel um die Ohren hätten. Eine von beiden sagte, dass sie sich danach sehne, endlich zur Ruhe zu kommen. Das sei ihr einziger Wunsch, alles andere interessiere sie nicht. Vier Augen schauten mich an und warteten auf meine Antwort. Mir kam es vor, als wollten sie überprüfen, ob ich weiß, was Ruhe ist. Mir wurde in der Tat zum ersten Mal bewusst, dass ich zwar die Bedeutung des Wortes Ruhe kannte, aber mir trotzdem nichts darunter vorstellen konnte. Ich versuchte, mir einen Zustand auszumalen, in dem man keine Ruhe hat. Es gelang mir nicht. Dann versuchte ich, mir genau das Gegenteil vorzustellen. Auch das gelang mir nicht.

„Wenn ihr unbedingt Salz braucht, gehe ich zu meinem Nachbarn." – „Das wäre nicht schlecht." – „Vor einer Woche hatte ich noch genug Salz. Ich habe meinem Nachbarn zu viel Salz gegeben, deshalb habe ich jetzt selbst keines mehr." Ich hörte zwei Frauenstimmen lachen, ging dann zu dem Nachbarn und fragte ihn, ob er Salz für mich habe. Er blickte mich eine Weile an und fragte mich plötzlich, ob ich nicht Lust hätte, mit ihm zusammen an einem Projekt zu arbeiten. Genaueres wollte er mir das nächste Mal erzählen. An diesem Abend hatte er weder Zeit noch Salz für mich.

„Als Sie selbst kein Salz hatten, habe ich Ihnen doch etwas von meinem Salz gegeben", sagte ich. Meine Stimme klang zu meiner Überraschung klagend. Ein Tonfall, den ich sonst nur von anderen Frauen kannte. Der Nachbar lachte. „Jetzt reden Sie wie meine Mutter. Seien Sie doch nicht so. Sonst werden wir mit unserem Projekt keinen Erfolg haben."

Er lachte wieder und schloss die Tür.

Es war mir immer schon unangenehm, Gäste in meiner Wohnung zu sehen. Sie füllten mein Zimmer mit fremden Sätzen, die ich nie so formulieren würde. An diesem Abend fand ich den Klang der fremden Sätze besonders unerträglich. Manchmal versuchte ich, dem Gespräch nur inhaltlich zu folgen, um den Klang der Sprache nicht zu hören. Aber er drang in meinen Körper ein, als wäre er von dem Inhalt nicht zu trennen.

Einmal entstand ein gewaltsames Gespräch mitten in einem Menschenkreis. Es war wie eine Windhose und drehte sich immer schneller. Zuletzt verschluckte die Windhose die Menschen. Sie unterhielten sich über Sport. Sportlernamen, Schläge, Kämpfe, Punkte, Angriffe, Tritte. Alle Anwesenden mussten mitreden, um sich gegen die Wörter der anderen

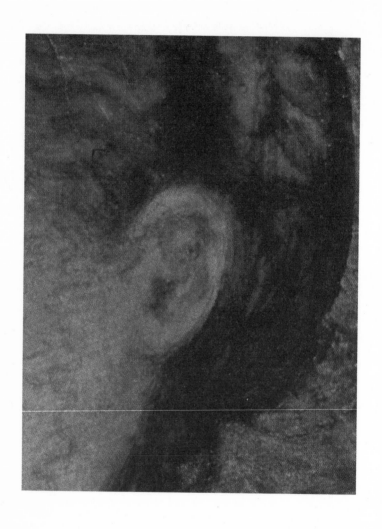

zu verteidigen. Um Mitternacht fingen die Gäste an, nach Diskomusik zu tanzen. Ich hörte die Musik nicht, sah aber, dass die Weingläser zitterten. Es war anscheinend sehr laut. Keiner durfte aus dem Takt kommen. Die Gäste tanzten gar nicht, sondern sie redeten miteinander. Wenn jemand stotterte, redeten die anderen schneller, damit die Unterbrechung nicht auffiel. Der Rhythmus wurde wie bei Diskomusik von einem Computer-Schlagzeug gehalten. Die Menschen atmeten wie mechanisch, statt unregelmäßig Atem zu holen, wie sie wollten. Mein Herzschlag und meine Seufzer waren lächerlich leise und kamen nicht gegen die großen Boxen an. In diesen schwarzen Kühlschränken wird die Geräuschmasse eingefroren. In meiner Wohnung waren gar keine Boxen, und es spielte keine Musik. Die Menschen unterhielten sich. Ich wollte mich in einen Stein verwandeln. Ein Stein wie ein Komma an einer falschen Stelle wollte ich sein, um das ratternde Gespräch zu unterbrechen.

Rosa war die Einzige, die auf mich achtete. Sie versuchte, mich in das Gespräch einzubeziehen, als wäre es ihre Aufgabe. Ich wollte aber gar nicht angesprochen werden.

Rosa redete immer in einem sicheren Ton, ein Ton, der schon vor Rosa da war und zu dieser Stadt gehörte. Sie hatte ihn vielleicht in der Familie oder in der Schule auswendig gelernt, obwohl ich bis heute nicht weiß, wie man einen Ton auswendig lernen kann. Wahrscheinlich hat sie jede Redewendung und jede Argumentationsfigur in Verbindung mit einem bestimmten Ton gelernt. Wenn sie in diesem erlernten Ton redete, konnte man selten etwas dagegen einwenden, weil alles, was dagegen gesagt wurde, kraftlos, unnatürlich, sogar unsinnig klang. Ich wollte ein Stein werden und mich selbst gegen diesen Ton werfen. Dann würde er entweder kaputtgehen oder ein anderes Gesicht zeigen.

Hat ein Ton mehrere Gesichter? Hat ein Gesicht mehrere Töne?

Ich wusste nichts über Rosa, außer dass sie eine Halskrankheit hatte, die man ihr aber nicht anmerkte. Ihre Freundinnen hatten mir mehrmals von dieser Krankheit erzählt.

Ich weiß nicht, wie diese Nacht endete. Als ich aufwachte, saß kein Mensch mehr in meiner Wohnung. Ich war nicht einmal sicher, ob ich am Abend wirklich Gäste eingeladen hatte. Draußen schien ein schwaches Morgenlicht auf die asphaltierte Straße. Auf dem Fensterglas liefen einige Wassertropfen herunter, als ob sie die letzten Fingerabdrücke der Gäste wegspülen wollten.

Als ich beim Bäcker ein Brötchen zum Frühstück holte, sah ich Rosa. Ich rief ihren Namen, obwohl ich nicht vorhatte, ihr etwas Bestimmtes zu erzählen. Sie stöhnte, bevor ich ein weiteres Wort sagte und lächelte ängstlich. Sie drückte ihre Papiertüte mit den Brötchen gegen die Brust und wandte mir den Rücken zu. Beim Verlassen der Bäckerei sagte sie mir – obwohl ich sie gar nicht danach gefragt hatte –, dass sie heute keine Zeit habe.

„Ich bin unter Zeitdruck. Diese Woche habe ich sowieso keine Ruhe, weil ich soviel um die Ohren habe. Aber nächste Woche rufe ich dich an", rief sie von der Straße in die Bäckerei, in der ich immer noch stand. Wozu wollte sie mich anrufen? Außerdem war es nicht möglich, mich anzurufen. Sie war schon weg, als ich ihr sagen wollte, dass ich gar kein Telefon habe.

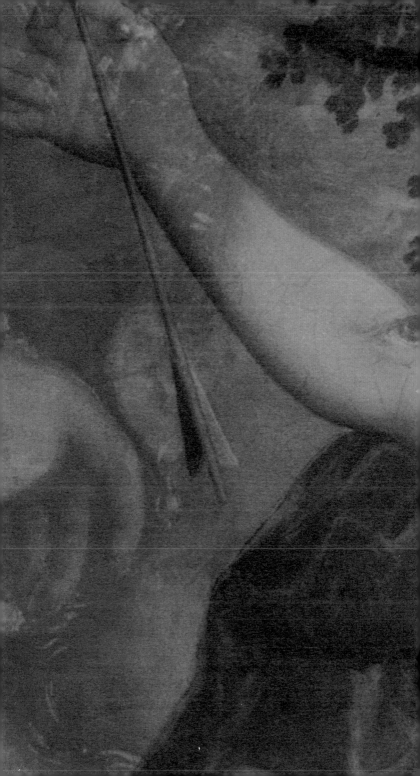

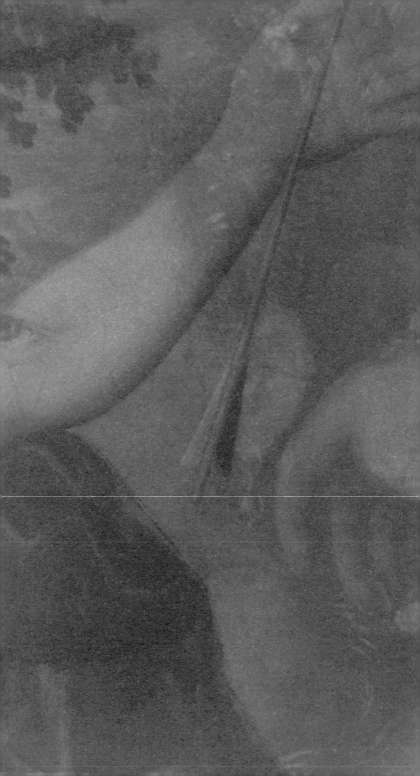

VI

Ich zog mich aus, legte mich hin und schloss die Augen.
Immer, wenn ich mich krank fühlte, blieb ich einige Tage
einfach so liegen, anstatt zu einem Arzt zu gehen oder mir
Medikamente zu holen. Ich hatte Angst vor Medikamenten,
ich hatte sogar Angst vor einem Hausrezept wie zum Beispiel
heißem Johannisbeersaft mit Honig gegen Erkältung. Gegen
eine Krankheit zu kämpfen erschien mir respektlos. Wenn sie
schon da war, musste man sie auch aufmerksam aufnehmen.
Manchmal versuchte ich, jene Stimme ebenfalls als eine
Krankheit zu betrachten, und verhielt mich entsprechend. Aber
anders als bei anderen Krankheiten wollte ich nicht, dass sie
mich eines Tages endgültig verließ.

Als die Nacht begann, suchte ich nach Körperstellen, mit
denen ich die Stimme wahrnehmen konnte. Denn ich bezweifelte, dass ich sie wie eine gewöhnliche Stimme am
Trommelfell spürte. Besonders wenn ich lag, kam sie auf
eine überraschende Weise auf mich zu. Zuerst streichelte sie
vorsichtig meinen Hals. Mir dauerte das meistens zu lange,
und ich fürchtete auch, dass sie mich auf diese Weise ele-
gant erwürgen würde. Ich habe nie verstanden, was sie von
mir wollte, wenn sie überhaupt etwas wollte. Ich konnte ihr
auch keine Frage stellen, weil sie nichts hören konnte. Es war
eine Stimme ohne Ohren.
Manchmal ließ ich mich stundenlang von ihr streicheln, den
Bauch, die Fußsohlen, die Nase, die Brust, die Fingerspitzen,
die Oberschenkel. Zum Glück musste ich keine Reaktionen
zeigen, die Stimme erwartete das nicht von mir. Ich musste
keinen Satz formulieren und konnte mich in einen Tastsinn

verwandeln, einen Tastsinn ohne Sprache. Nicht nur die gesprochene Sprache, sondern auch die Körpersprache war nicht mehr nötig. Ich fühlte mich auch befreit vom Blick, denn es war eine Stimme ohne Augen.

Zu meiner Enttäuschung musste ich aber, als ich auf die Straße ging, feststellen, dass ich nicht von allen Blicken befreit war. An diesem Tag traf ich Rosa vor dem Postamt. Sie fragte mich, ob ich bei ihr eine Tasse Tee trinken würde, denn sie wolle mir gerne ihre Wohnung zeigen, in die sie neu eingezogen war. Bis zu diesem Tag hatten mich Wohnungseinrichtungen nie interessiert. Jetzt fiel mir aber ein, dass ich darüber einen Artikel für die Zeitschrift schreiben könnte, denn eine Wohnungseinrichtung ist nicht etwa nur ein finanzielles oder ein praktisches Problem, sondern hat auch religiöse Aspekte.

„Ich komme gerne mit dir", antwortete ich leise. Dabei hatte ich ein schlechtes Gewissen. Es hatte etwas Unmenschliches, dass ich mich nur noch für die Dinge zu interessieren vermochte, die ich wie eine Ethnologin beobachten konnte.

Kaum hatte ich die Wohnung betreten, blickte Rosa tief in meine Augen, als wollte sie genau prüfen, wie sich ihre Wohnung in meinen Augen widerspiegelte. Ich wusste sofort, dass ich verpflichtet war, mich zu entscheiden, ob ich ihre Wohnung schön fand oder nicht. Es war mir jedoch nicht möglich, mir über eine Wohnung, in der ich nicht wohne, eine Meinung zu bilden. Rosa schien aber aus meinen Augen ein Urteil herauslesen zu wollen. Vielleicht übte sie dabei sogar, ihre eigene Wohnung mit den Augen eines Fremden zu betrachten und ihr Noten zu geben, um sie später zu verbessern. Vielleicht ist ihre Wohnung für sie wie ein Selbstporträt: Die Möbel, die Plakate, der Teppich, die Schreibwaren, die Musikanlage sollten zusammen ihre Persönlichkeit abbilden. Warum aber wollte sie sie mir zeigen? Ich stieß wie immer gegen die Wand der Fragen nach dem Grund. Für mich hatte meine Wohnung die Funktion einer Haut. Keiner konnte sie von innen betrachten. Es war mir immer unangenehm, in der eigenen Wohnung Menschen zu sehen, aber noch unangenehmer war es mir, wenn sie meine Wohnung mit Neugierde betrachteten. Denn meine Wohnung will nicht benotet werden, sonst verkrampft sie sich. Sie muss für mich so sein, dass ich sie kaum wahrnehme. Sie ist nicht zum Vorzeigen, und sie beweist keine Leistung. Sie darf weder schön noch hässlich sein, denn sie ist nicht da, um gesehen zu werden. Rosa fragte mich zögernd, womit ich mich denn beschäftige. Sie könne sich nicht vorstellen, dass ich eine berufliche Karriere mache oder dass ich eine Beziehung hätte, die ja besonders viel Zeit koste. „Ich höre immer einer Stimme zu, die keinen Klangkörper hat", antwortete ich. Rosa näherte sich mir. „Was für eine Stimme ist es?" – „Die Stimme einer Frau." Meine Antwort enttäuschte Rosa sofort. Sie wollte aber nicht unhöflich sein und machte einen Witz, anstatt ihre Enttäuschung direkt zu zeigen. Ich höre auch immer eine weibliche Stimme, die mir sagt, dass ich schon wieder etwas falsch gemacht habe. Ich weiß aber genau, wessen Stimme es ist.

VII

Ich setzte eine Anzeige in eine Tageszeitung. Jeder, der diese Anzeige las, sollte den Eindruck bekommen, dass eine alte Frau aus einem sentimentalen Gefühl heraus nach einem alten Roman suchte, den sie sechzig Jahre zuvor gerne gelesen hatte. Dass diese alte Frau für das Buch, das weder für einen leidenschaftlichen Literaturliebhaber, noch für einen Sammler einen Wert hat, hundert Mark ausgeben wollte, konnte eventuell ungewöhnlich wirken. So hatte ich zuerst die Befürchtung, dass mein Wunsch wie ein bunter Vogel zwischen anständig aufgereihten Privatanzeigen flattern würde und dass einige Leser mich nur aus Neugierde anrufen würden. Aber als ich andere Anzeigen auf derselben Seite las, merkte ich, wie unauffällig meine war. Eine Frau schrieb zum Beispiel, dass sie für tausend Mark einen Goldfisch, der ihrem verstorbenen Sohn ähnlich sieht, erstehen wolle. Und ein reicher Mann suchte eine Frau, die nur noch ein Ohr hat, um sie zu heiraten. Verglichen damit war es ein relativ bescheidener Wunsch, einen alten Roman für hundert Mark kaufen zu wollen. Genauer gesagt wollte ich nicht eine Romanerzählung, sondern das Buch haben. Der Roman interessierte mich nicht. Ich wollte das Buch besitzen, um die Stimme aus der Kassette hinter dem Gitter der Buchstaben einsperren zu können.

Ein paar Tage später rief mich ein Student an und sagte, er habe zwar das Buch, das ich suche, aber er könne es mir leider nicht verkaufen, weil es mit einer für ihn sehr bedeutsamen persönlichen Erinnerung verbunden sei. Wenn ich es aber unbedingt sehen wolle, würde er mich mit dem Buch besuchen. Drei Tage später kam er und brachte das Buch mit. Die Titelseite hatte eine dunkelrote Farbe, die mir bekannt vorkam. Hatte ich nicht früher einen Menschen gekannt, der immer ein ähnlich rotes Hemd trug? Auf der Titelseite war keine Aufschrift zu sehen. Der Besitzer des Buches erklärte mir, der Titel habe wohl auf einem gesonderten Stück Papier gestanden, das sich wahrscheinlich irgendwann vom Buch gelöst habe und dann verlorengegangen sei. Mitten auf die Seite war eine Uhr gezeichnet. Ihr fehlten nicht nur die Zeiger, sondern auch zwei Zahlen: drei und sieben. Das Buch war viel dünner, als ich es mir vorgestellt hatte. Wie konnte ein Roman, der nicht enden wollte, in diesem kleinen Buch hausen? Ich erzählte dem Besucher, dass ich seit langer Zeit nach diesem Roman suchte, von dem ich bisher nur den Titel, den Namen der Autorin und den Inhalt kannte. Von den Kassetten erzählte ich ihm nichts. Es wäre schwierig zu erklären gewesen, warum ich den Roman unbedingt als Buch besitzen wollte, wenn ich schon die Kassetten hatte.

„Was machen Sie eigentlich in dieser Stadt?", fragte mich der Besitzer des Buches. Ich schaute ihn zum ersten Mal an. Seine Lippen bewegten sich weiter, als er den Satz schon zu Ende gesprochen hatte. „Meistens sitze ich am Fenster und höre der Stimme einer Frau zu."

Als ich das Wort Stimme aussprach, erinnerte ich mich daran, dass ich eigentlich nichts von den Kassetten hatte erzählen wollen. Der Mann fragte aber nicht weiter nach. Stattdessen blickte er auf meine Finger, die zitterten. Ich stellte meine Kaffeetasse, die ich hochzuheben versucht hatte, wieder zurück auf den Tisch.

„Sehen Sie, was hier ist?"

Er drehte das Buch um und machte mich auf die fettigen Fingerabdrücke auf der Rückseite des Buches aufmerksam.

„Das macht mir nichts aus", antwortete ich, ohne genau zu wissen, warum er mir diese Abdrücke zeigte. Ich öffnete das Buch. Während ich auf die beiden aufgeschlagenen Seiten starrte, konnten meine Augen keinen einzigen Satz lesen. Er fragte weiter: „Haben Sie die Fingerabdrücke gesehen?"

Ich schlug das Buch zu, betrachtete die Abdrücke auf der Rückseite und versuchte, etwas Besonderes daran zu entdecken. Der Mann hieß Simon. Ohne dass ich ihn danach gefragt hatte, sagte er mir seinen Namen.

„Lesen Sie weiter. Sie wollten doch gerne diesen Roman lesen. Ich kann so lange hier bleiben, bis Sie ihn durchgelesen haben. Nur, wie gesagt, ich kann Ihnen das Buch nicht verkaufen, wegen der Fingerabdrücke."

Ich betrachtete noch einmal die Form der fünf Fingerkuppen, die auf dem dunkelroten Papier zu sehen waren. Simon lachte und zeigte seine rechte Hand, an der der Mittelfinger fehlte.

„Ich habe den Roman gelesen, bevor ich meinen Mittelfinger bei der Arbeit in einer Fabrik verlor. Und das ist das einzige Bildnis, das mein Mittelfinger hinterlassen hat. Ich habe nicht einmal ein Foto von ihm. Deshalb möchte ich das Buch nicht verkaufen."

Ich schlug das Buch wieder auf. Mir schien es, als ob die Stimme leiser wurde, als ich das Buch öffnete. Ich hatte nicht den Mut, Simon zu fragen, ob er das auch wahrnahm. Ich konnte ihn nicht einmal fragen, ob er die Stimme überhaupt hörte. Er saß ruhig da und wiederholte immer wieder: „Sie können das Buch in Ruhe zu Ende lesen. Ich bleibe hier, bis Sie fertig sind."

Es verging eine Stunde, ohne dass ich etwas gelesen hatte. Ich erkannte die einzelnen Buchstaben, aber ich konnte daraus keine Worte bilden, als wäre das Buch in einer mir unbekannten Sprache geschrieben. Es wurde dunkel. Der Abschied von dem Buch fiel mir schwer. Denn jedes Mal, wenn ich das Buch aufmachte, verlor die Stimme ihre Kraft. Sollte ich Simon vielleicht bitten, mich jeden Tag mit dem Buch zu besuchen? Irgendwann musste er schließlich nach Hause gehen.

Obwohl ich das Buch nicht lesen konnte, blätterte ich immer weiter. Ich musste aufpassen, dass ich nicht zu schnell oder zu langsam blätterte. Sonst hätte Simon vielleicht gemerkt, dass ich in Wirklichkeit gar nicht las. Simon saß auf einem Küchenstuhl. Manchmal zündete er eine Zigarette an und rauchte sie mit halbgeschlossenen Augen. Er hielt die Zigarette zwischen Daumen und Ringfinger. Dabei streckte er den Zeigefinger in die Höhe, der ohne Sinn in eine Richtung zeigte. Irgendwann ging Simon lautlos zum Sofa hinüber, legte sich hin und schlief ein. Ich zog die Gardinen zu und bedeckte seinen Körper mit einer Wolldecke. Man hörte keine Straßengeräusche mehr. Es war eine Nacht mit grünlichem Vollmond. Nachdem Simon eingeschlafen war, stand ich eine Weile auf dem Balkon und beobachtete den Mond. Die Schatten auf seiner Oberfläche ließen sich weder wie Zahlen noch wie Buchstaben lesen. Sie glichen keinen Zeichen, die ich kannte. Vor einiger Zeit hatte ich gedacht, dass die Kreise des Mondes mein Zeitgefühl bestimmten, aber jetzt war er wie eine Fläche. Durch das Fenster sah ich schon die erste Dämmerung. Ich blätterte weiter in dem Buch und spielte die Rolle einer leidenschaftlichen Romanleserin, obwohl Simon schon längst eingeschlafen war. Er hätte sowieso nicht kontrolliert, ob ich las oder nicht. Er wollte mir nur eine Chance geben, den Roman mit eigenen Augen zu sehen.

Als Simon aufwachte, musste ich ihm sagen, dass ich mit der Lektüre des Romans nicht vorankam, weil meine Augen aus den Buchstaben keine Worte machen konnten. Ich wusste nicht, ob Simon mich verstanden hatte oder nicht. Er wiederholte nur, dass er so lange bei mir bleiben werde, bis ich das Buch zu Ende gelesen hätte. Er blieb den ganzen Tag. Einmal ging er aus dem Haus, ohne mir Bescheid zu sagen, und ich vermutete, dass er nicht zurückkommen würde. Aber nach einer halben Stunde kam er mit einer großen Plastiktüte, aus der er Gemüse, Brot, Käse, Wein und Zigaretten hervorholte. Er blieb auch den nächsten Tag und die Tage danach.

Ich hatte das Buch geöffnet auf den Tisch gelegt. Die Stimme aus dem Recorder wurde jeden Tag schwächer, aber mit der Lektüre kam ich noch immer nicht weiter. Außerdem bekam ich Schmerzen im Unterleib. Ich wusste nicht, ob diese Schmerzen mit dem Verschwinden der Stimme zu tun hatten. Manchmal hoffte ich, Simon würde mit dem Buch meine Wohnung verlassen, damit die Stimme zurückkäme. Genauso oft hoffte ich aber, dass Simon nie fortgehen würde, damit auch das Buch hierbliebe. Dann würden aber auch die Schmerzen im Unterleib nicht verschwinden, und ich müsste vielleicht zum Arzt gehen. Ich dachte, ein Ohrenarzt oder ein Frauenarzt würde möglicherweise irgendeinen Grund für die Schmerzen erfinden können.

VIII

„Wo gehen Sie hin?", fragte mich der Nachbar, ohne mich vorher zu begrüßen, als wir uns im Treppenhaus begegneten. Ich wollte kurz zur Apotheke gehen, um mir Schmerztabletten zu holen. Ich war seit einigen Tagen – ich wusste nicht genau wie lange – nicht mehr aus der Wohnung gegangen, denn Simon holte mir alles, was ich brauchte. Die Schmerztabletten wollte ich mir jedoch heimlich holen. Da ich noch nie im Leben Tabletten eingenommen hatte, kam es mir wie ein Verbrechen vor.

Die Frage des Nachbarn klang drohend. Ich konnte sie nicht beantworten. Wir standen eine Zeit lang schweigend im Treppenhaus. Seine Augen waren hinter seiner Sonnenbrille versteckt. Das dunkelrote Hemd kam mir bekannt vor. Nach einer Weile holte er aus der Hosentasche einen kleinen Gegenstand aus Metall und hielt ihn mir vor die Augen. Es war ein Schlüssel. Als ich ihn anfassen wollte, steckte er ihn rasch wieder in die Tasche. Ich ging die Treppe hinunter und hörte, wie er hinter meinem Rücken in einem befehlenden Ton sagte: „Sie kommen auf jeden Fall heute Abend zu mir. Ich muss mit Ihnen reden. Um sieben Uhr."

Ich hatte lange mit keinem Menschen außer Simon geredet. Das Bedürfnis, eine mir bereits bekannte Person zu besuchen, um die Bekanntschaft zu bestätigen, oder eine mir noch unbekannte Person kennenzulernen, war nicht mehr da. Es spielte für mich keine Rolle mehr, ob ich eine bestimmte Person kannte oder nicht. Nur die Autorin des Romans wollte ich noch kennenlernen. Ich suchte nach ihrem Namen im Telefonbuch und stellte fest, dass es dreizehn Frauen gab, die genauso hießen wie sie. Ich hätte alle dreizehn Frauen anrufen und jeder die Frage stellen können, ob sie den Roman geschrieben habe. Die Mühe hätte sich gelohnt, wenn sicher gewesen wäre, dass eine von ihnen die Autorin war. Es war aber eher unwahrscheinlich, dass die Autorin gerade in der Stadt zu finden war, in der ich lebte. Eigentlich wollte ich die Autorin gar nicht kennenlernen. Die Person, die diesen langweiligen Roman geschrieben hatte, interessierte mich nicht. Nur meine Vermutung, dass die Sprecherin des Textes auf den Kassetten die Autorin sein könnte, erregte mein Interesse an ihr. Die einzige Serie von Literaturkassetten, die ich kannte, hieß: „Die Autoren lesen". Auch fand ich das Vorlesen zu unprofessionell für eine entsprechend geschulte Schauspielerin. Die Besitzerin der Stimme beschäftigte mich aber. Ich wollte sie finden, um zu hören, wie die Stimme aus einem Körper kommt, anstatt aus einem elektrischen Gerät.

Ich erzählte Simon weder von meinen Kassetten noch von meinem Nachbarn. Simon hielt mich wahrscheinlich für eine einsame Frau, die keine Freunde in der Stadt hatte und sich nur mit Lesen und Schreiben beschäftigte. In Wirklichkeit war ich zu der Zeit aber weder zum Lesen noch zum Schreiben fähig. Ich saß am Schreibtisch, auf dem ein Buch und ein Stapel Manuskriptpapier lagen, ohne etwas zu tun. Seitdem Simon bei mir wohnte, konnte ich nichts mehr schreiben. Es war ungewöhnlich für mich, so lange nichts geschrieben zu haben. Ab und zu spürte ich deutlich die Lust, einfach Buchstaben auf ein Blatt Papier zu setzen, aber diese Lust verlor sich wieder, wenn ich auf das aufgeschlagene Buch blickte. Ich verlief mich in den Buchstaben wie in einem Wald. Vielleicht brauchte ich die Stimme aus dem Recorder, um wieder schreiben zu können.

Wenn ich nicht am Schreibtisch war, saß ich mit Simon am Fenster und schaute die Menschen an, die am Haus entlanggingen. Die meisten Gesichter interessierten mich nicht, aber einige betrachtete ich genau, weil ich sie mit einer Zahl in Verbindung bringen konnte. Ich sagte zum Beispiel zu Simon, dass ein Junge, der gerade vorüberging, wie Drei aussehe; nicht etwa, weil er mit krummem Rücken lief, so dass seine Wirbelsäule die Form dieser Zahl gebildet hatte; auch nicht, weil er vielleicht in der Schule die Note Drei bekam. Der Mund des Jungen hatte eine Form, als wollte er gerade das Wort „Drei" aussprechen, aber auch das war nicht der Grund. Ich verriet Simon den Grund nicht. Simon sagte, dass ich die Stadt wie eine Uhr betrachten würde, wohl weil ich mein eigenes Zeitgefühl verloren hätte.

Ich konnte aber immer noch mit der Uhrzeit umgehen, sonst hätte ich es nicht geschafft, genau um sieben Uhr abends bei meinem Nachbarn zu sein. Sie sind pünktlich. Das ist ein gutes Zeichen, sagte der Nachbar und grinste. Er trug das dunkelrote Hemd. Bald verselbständigte sich die Farbe des Wollhemdes und schwebte in meinem Blickfeld hin und her. Ich sah nur noch diese Farbe, und plötzlich fiel mir ein, woher ich sie kannte: Es war die Farbe des Buches, das Simon mir gebracht hatte, die Farbe des Romans.

Der Nachbar bot mir eine Tasse Tee an. Er redete jetzt leise und undeutlich. Der drohende Ton, mit dem er vor ein paar Stunden gesprochen hatte, war verschwunden. Weil ich nicht wusste, was ich sagen sollte, fragte ich ihn nach seinem Beruf. Er blinzelte. Er hatte dieses Mal keine Sonnenbrille auf. Seine Augen waren formlos, sie bestanden aus einem ununterbrochenen Öffnen und Schließen.

Er antwortete, dass er im Moment arbeitslos sei, weil die

Firma, die er mit seiner Freundin gegründet hatte, vor kurzem Pleite gemacht habe. Er hätte jetzt aber einen Plan, mit dem er Erfolg haben könne. Das Telefon habe er abgeschafft, damit seine Freundin ihn nicht mehr anrufen könne, denn nichts fände er unerträglicher als ihre Stimme. Nachdem er seine Freundin ausführlich und bösartig beschrieben hatte, fragte er mich plötzlich, ob ich oft meditiere. Ich wurde stutzig und antwortete: „Ja, nein, ich meine, wenn ich ja sage, ist es schon nein."

Damals sprach ich niemals das Wort „Meditation" aus, denn eine Meditation, die als solche bezeichnet, begriffen und vorgeführt wird, war keine Meditation. Ich meditierte nur in einer überfüllten U-Bahn oder in einem Kaufhaus vor einem Grabbeltisch mit Sonderangeboten. Ich meditierte im Stehen und mit offenen Augen. Ich meditierte oft. Der Gedanke, durch Meditation zur Ruhe oder zu sich selbst kommen zu wollen, war mir fremd. Ich geriet vielmehr in den Zustand der Meditation, wenn ich von Menschenmassen oder Bergen von Industrieprodukten fasziniert war. Sie faszinierten mich, weil ich bei ihrem Anblick sicher war, dass ich jederzeit auf sie verzichten konnte.

Ich erzählte dem Nachbarn alles, was mir zur Meditation einfiel. Er setzte sich die Sonnenbrille auf und hörte mir zu. Dabei machte er nicht den Eindruck, dass er mich verstand. Er fragte mich aber auch nichts. Vielleicht war es für ihn nicht so wichtig, was ich sagte. Nach einer Weile fragte er mich, ob ich oft im Schlaf rede.

„Woher soll ich das wissen? Ich bin jedenfalls noch nie von meiner Stimme geweckt worden, nur von der Stimme einer anderen Frau." – „Fragen Sie Simon, ob Sie im Schlaf geredet haben. Vergessen Sie nicht, ihm diese Frage bald zu stellen, denn er kann nicht mehr lange bei Ihnen bleiben. Vielleicht ist es schon zu spät. Es kann sein, dass er schon nicht mehr da ist." Die Finger des Nachbarn waren knochig und auffallend lang. Das fiel mir auf, als er – nachdem er seinen Tee ausgetrunken hatte – die Hände auf den Tisch legte. „Woher wissen Sie, dass er bei mir war und dass er Simon heißt?", fragte ich und versuchte, dabei keinen Körperteil zu bewegen.

Die Uhr zeigte genau zehn Uhr. Ich fragte den Nachbarn vorsichtig nach seinem Namen, denn er hatte kein Namensschild an der Tür. Mir war bis dahin gar nicht aufgefallen, dass ich seinen Namen nicht kannte. Er sagte, dass er Z heiße, und grinste.

„So können Sie nicht heißen. Sie wollen mir doch nicht erzählen, dass Ihr Name die Abkürzung von Zehn ist, nur weil es jetzt zehn Uhr ist."

„Dann heiße ich anders", sagte er erschöpft, nannte aber keinen anderen Namen.

Am nächsten Morgen war Z immer noch da. Er hatte ein ganz anderes Gesicht bekommen. Seine Augen hatten jetzt eine klare Form, und er blinzelte nicht mehr so oft. Das Fleisch an seinem Bauch war über Nacht gewachsen. Ich bemerkte, dass ich Angst vor ihm hatte. Als ich ihn fragte, ob er Kaffee trinken wolle oder lieber Tee, antwortete er: „Ich trinke doch nie Tee."

Ich erinnerte mich aber ganz genau, dass er einmal Tee getrunken hatte, denn er hatte versehentlich Salz in den Tee getan. Ich konnte das nur zeitlich nicht mehr einordnen.

Ich ging in die Küche, um Kaffee zu kochen. Ich versuchte, einer unangenehmen Vermutung keine Formulierung zu geben. Dadurch landete ich aber bei der unsinnigen Frage, ob dieser Mann derselbe war wie der, den ich am Tag zuvor besucht hatte. Waren wir nicht gestern zusammen in seiner Wohnung gewesen? Warum waren wir in meiner Wohnung aufgewacht? Wo war Simon? Vielleicht war es nicht wichtig, ob er derselbe Mann wie der von gestern war oder nicht. Ich kannte ihn sowieso kaum. Ich wusste nur, dass er mein Nachbar war und dass er Z genannt werden wollte. Eigentlich kann kein Mensch Z heißen, aber jeder könnte sich so nennen. An diesem Namen konnte man ihn also nicht erkennen. Wo aber war Simon? Und wo war sein Buch? Es lag nicht mehr auf meinem Tisch. Das Wasser kochte im Kessel, den ich in einem Kaufhaus gekauft hatte. Eine Thermoskanne, zwei Töpfe und drei Schöpflöffel, die sich neben dem Kessel befanden, kamen mir in den Sinn. Ich versuchte, aus diesen Gegenständen in meinem Kopf das Bild einer Küche zu malen, in der ich einen bequemen Platz hatte. Aber es gelang mir nicht. Einzelne Gegenstände schwebten ohne Zusammenhang vor meinen Augen. Wozu gab es diese Kanne, diese Schüssel und diese Gabel? Was war das Runde dort aus Metall und jenes Viereckige aus Holz? Wozu hatte ich sie in diesem Raum zusammengestellt? Ich setzte mich auf den Küchenstuhl, auf dem Simon oft gesessen hatte. Dabei fiel mir das Blumenmuster an der Wand zum ersten Mal sehr unangenehm auf. Seit wann hatte ich dieses Tapetenmuster? Warum hatte ich nie versucht, die Tapete abzureißen? Zu meiner Überraschung hatte der Kessel dasselbe Muster wie die Tapete. Ich schloss daraus, dass beide aus ein und derselben Firma stammten. Wenn ich den Kessel auf dem Flohmarkt neben einem Füller gesehen hätte, dann hätte ich eine andere Verwandtschaft zwischen den Gegenständen sehen können. Ein Kessel und ein Füller haben beide einen Eingang, durch den etwas hinein kann, und – anders als das menschliche Ohr – einen Ausgang, durch den es wieder hinaus kann. Draußen war es noch dämmrig. Im Licht der Küchenlampe glänzten schwach weiße Kaffeetassen. Ich erinnerte mich, dass in jenem Roman einmal eine Szene wie diese beschrieben worden war, um ein bestimmtes Gefühl einer Person auszudrücken. Ich hasste diese Textstelle. Ich konnte mich aber zum Glück nicht mehr daran erinnern, welches Gefühl dort beschrieben werden sollte.

Sowohl die Stimme des Romans als auch das Buch waren fort. Beide hatten keine Bedeutung mehr für mein Leben, dennoch hatte ich das für mich ungewöhnliche Gefühl, mich ohne sie nicht mehr wohl fühlen zu können. Beim Frühstück sagte mir Z, dass er Martina weiter beobachten wolle. Ich wunderte mich, dass er sie kannte. Er wusste auch, dass ich ihre Schreibmaschine benutzte.

„Mich interessiert sie nicht", sagte ich.

„Sie ist aber interessant", erwiderte er ruhig.

„Was ist so Besonderes an ihr?"

Meine Stimme war laut. Er grinste mit der einen Seite seines Mundes.

„Gar nichts, sie hat ein Problem, das wahrscheinlich Millionen von Frauen betrifft. Wir müssen uns für solche Probleme interessieren, wenn wir erfolgreich sein wollen."

IX

Nachmittags um drei verließ Z meine Wohnung. Ich stand mit
leeren Händen vor dem Fenster und bemerkte, dass meine
Hände etwas brauchten, woran sie sich festhalten konnten.
Zum Beispiel die Tasten der Schreibmaschine, ein Buch oder
die Hände eines anderen Menschen. Seit dem Tag, an dem
Simon mich zum ersten Mal besuchte, hatte ich keinen Buchstaben mehr geschrieben. Ich wollte wieder schreiben, wusste
aber nicht, was. Nur meine Finger suchten nach den Tasten.

Ich ging zu Martina, um zu fragen, ob sie mir für eine Weile
ihre Schreibmaschine leihen könne.
Mit geröteten Augen machte sie mir die Tür auf und erzählte
mir, ein Busfahrer habe sie am Tag zuvor angeschrien. Bis
dahin war es ihr relativ gut gegangen. Sie war an dem Tag
wie immer mit dem Walkman unterwegs gewesen. Beim Ein-
steigen in den Bus bemerkte sie, dass der Busfahrer wie ein
Goldfisch seinen Mund auf- und zumachte und dabei immer
röter wurde. Verwundert setzte sie sich den Kopfhörer ab.
In dem Moment sprang ihr eine schneidende Stimme in die
Ohren: „Können Sie nicht lesen? Sind Sie Analphabetin?"
Martina verstand immer noch nichts. Wenn er gefragt hätte,
ob sie nicht hören könnte, hätte sie sofort verstanden, was er
meinte. Der Fahrer fragte sie aber, ob sie nicht lesen könne.
Da packte eine ältere Frau, die hinter ihr stand, Martina an
der Jacke und zog sie aus dem Bus. Sie zeigte ihr mit dem
Zeigefinger ein Schild, das an dem Bus befestigt war.
„Ab neunzehn Uhr den Fahrschein zeigen", las die Frau ihr
laut und deutlich wie eine Grundschullehrerin vor. Martina
sagte leise: „Ich kann doch selber lesen."

Der Busfahrer wurde dadurch noch wütender: „Alle, die Gesetze überschreiten, sind Analphabeten. Ich meine nicht, dass alle Analphabeten Gesetze überschreiten. Aber auf jeden Fall stehen alle Gesetze irgendwo geschrieben, und ...“ Nach diesem Ereignis war Martina drei Tage im Bett geblieben, ohne etwas zu essen.

„Du solltest auch deine Augen schützen, dann kann dir nichts mehr passieren. Du kannst zum Beispiel immer ein Buch vor dein Gesicht halten", sagte ich, um Martina zu trösten.

Martina sagte nichts. Nach einer Weile ging sie in die Küche, legte ihre Hände auf den Griff des Kessels und fing an zu weinen. Wenn die Handflächen etwas Warmes berühren, passiert es manchmal, dass das Gefühl schmilzt und aus dem Mund herausquillt. Ich wusste, dass eine ähnliche Szene in dem verschwundenen Roman vorkam. Die Szene handelte von einer Frau, die mehrmals im Roman weinte. Ich war froh, dass ich mich nicht mehr an ihre Lebensgeschichte erinnern konnte.

Ich war vorgestern bei unserem neuen Nachbarn, sagte Martina unvermittelt.

Er sagte, dass er früher Psychologie studiert habe. Vielleicht kann er mir helfen.

Martina putzte ihre Nase und hatte dabei einen Gesichtsausdruck, der einem Lächeln ähnelte. Ich stand auf, weil ich nichts mehr über den Nachbarn hören wollte. Es war mir nicht klar, warum er Martina von seinem Studium erzählt hatte.

Die Schreibmaschine steht da. Du kannst an deinem Roman weiterschreiben, sagte Martina in einem desinteressierten Ton und zeigte mit ihrem Kinn in eine Richtung, in die ich

146

bereits geblickt hatte. In dem Moment stieg plötzlich Hass gegen das Wort „Roman" in mir auf. Ich schreibe doch nicht an einem Roman, sagte ich entsetzt, und Martina blickte mich überrascht an.

Abends begann es zu regnen. Ich saß vor der Schreibmaschine und drückte ununterbrochen die Z-Taste. Mir gefiel die Form dieses Buchstabens nicht, aber meine Finger wollten unbedingt tippen, und da mir kein Satz einfiel, musste ich immer wieder denselben Buchstaben tippen.
„Warum kommst du nicht? Ich habe dir gesagt, du sollst kommen", sagte ich laut und wusste plötzlich, wem ich das sagte. Simon war weg, und Z war auch nicht in der Wohnung. Es gab nichts, was die Stimme an der Rückkehr hindern konnte. Ich glaubte, dass ich ohne sie nie wieder in der Lage sei, einen Satz zu formulieren.
Z erbrechen
Z eit
Z auber
Ich schrieb den Buchstaben Z getrennt von dem Rest des Wortes. Die Tasten der Schreibmaschine fühlten sich nach und nach leichter an. Ich ließ das Z aus:
erbrechen
eit
auber
Ich konnte nicht mehr aufhören zu tippen.
eigen
eichen
eiger
usammen

eilen

ug

insen

wingen

wecklos

Ich tippte und tippte und merkte nicht, dass sich die Tür geöffnet hatte. Z stand da und hustete. Als er meine Hände nahm, verloren sie die Lust zu tippen. „Heute kann ich aus irgendeinem Grund nichts schreiben", sagte ich ihm, bevor er etwas gefragt hatte.

X

Am nächsten Tag kehrte die Stimme des Romans zu mir zurück.

Ich war wie im Rausch, während ich mit der Schreibmaschine eine unendliche Kette von Z-losen Worten tippte. Danach spannte ich ein neues Blatt Papier ein und schrieb darauf eine Reihe von Zs. Als ich das Blatt zerriss und in den Papierkorb warf, hörte ich hinter meinem Rücken eine weibliche Stimme. Zuerst dachte ich, dass jemand auf der Straße redete. Nach einer Weile wurde mir aber klar, dass diese Stimme die des Romans war, denn ich hörte sie nicht am Trommelfell, sondern an einer Körperstelle, die ich nicht fand. Als ich den Deckel der Schreibmaschine zuklappte, war die Stimme deutlicher zu hören. Ich schlüpfte ins Bett und machte das Licht aus. Dort blieb ich liegen – ich weiß nicht wie lange – und bemerkte nicht, dass die Tür aufging und Z sich neben mein Bett stellte. „Schläfst du?"

Die Stimme verschwand, als Z sprach, und mein Gehörsinn beschränkte sich schnell wieder auf das Trommelfell. „Nein, ich schlafe nicht."

„Was machst du, wenn du nicht schläfst?" Ich blieb weiter liegen wie ein Stein und antwortete: nichts. Ich fürchtete, dass auch Z die Stimme der Frau gehört hatte und mich als Verräterin bezeichnen würde. Aber warum eigentlich? Warum sollte ich nicht jener Stimme zuhören? Z beobachtete mein Gesicht wie ein Arzt, der ein Zeichen auf der Haut finden wollte. Ich selbst spürte nirgends meinen Körper. Nur die Stimme konnte ich langsam wieder wahrnehmen. Mir war, als würde sich der Raum zusammenziehen, wenn sie schneller sprach. Er dehnte sich wieder aus, wenn sie lauter wurde. Der Raum existierte nur noch in der Stimme, und in dem Raum, den sie gestaltete, konnte ich meinen Körper nicht finden. Er war leer und hatte weder Wände noch Möbel. Er bestand nur aus einer Stimme. Ähnelte dieser Raum nicht der Wohnung, die ich mir gewünscht hatte?

Es verging einige Zeit. Aus dem Schlaf, der keiner war, wachte ich auf und sah, dass ein Wecker und Z in meiner Nähe lagen. Ich hatte die Dinge noch nie so nah gesehen, Z, der kurz darauf auch aufwachte, nahm den Wecker in die Hand und schüttelte ihn wie ein Salzfass. Dann fragte er mich noch einmal, ob ich schliefe. Als ich Nein sagte, fragte er, warum ich wie ein Stein daliegen würde. Ich setzte mich aufrecht hin und fand meine Arme und meinen Kopf viel schwerer als vorher. Die Stimme hörte ich nur noch in meinem Kopf. Auf dem kleinen Tisch neben dem Bett lag ein Stein. Ich nahm ihn in die Hand und schüttelte ihn ein paar Mal, wie man ein Salzfass schüttelt. Ein seltsames Geräusch kam aus dem Stein. Ist das Innere des Steins hohl? Z stand auf und lief im Zimmer hin und her. Ich sagte zu ihm: „Ich wollte immer ein Stein werden. Außerdem bin ich noch krank."

Z lächelte wie erleichtert. Wahrscheinlich hatte er gedacht, dass ich mich seinetwegen langweilte. Ich war eigentlich nicht krank, aber da ich sonst keinen Stein hätte nachahmen dürfen, beschloss ich, krank zu sein. In diesem Moment fiel mir ein, dass ich sogar wirklich krank sein könnte.

„Ich habe Mittelohrentzündung. Ich höre ununterbrochen die Stimme einer Frau, weißt du, das liegt an der Entzündung."

Z grinste, nahm meine Hand und sagte: „Ich weiß. Ich weiß alles. Wir müssen aber sparsam reden und klug handeln. Erzähl' keinem Menschen, dass du krank bist. Nenne deine Krankheit nicht Mittelohrentzündung. Denn ‚Mittelohrentzündung' klingt lächerlich. Du darfst nichts Lächerliches mehr über dich erzählen. Rede nicht mit anderen Frauen über die Stimme. Wie wir weiter arbeiten, erzähle ich dir nächste Woche. Ich muss eine Woche verreisen, um einige Materialien für das Projekt zu holen. In der Zeit darfst du mit keinem Menschen reden. Warte hier allein, bis ich wiederkomme. Ich habe dir am Anfang schon gesagt, dass ich ein Projekt vorhabe. Und dieses Projekt kann ich nur mit dir verwirklichen."

Am nächsten Tag ging ich in die Stadt, um mir eine Schreibmaschine zu kaufen. Da ich nicht mehr zu Martina gehen konnte, war es notwendig, eine eigene zu haben. Ich musste bald einen weiteren Artikel für meine Serie in der japanischen Zeitschrift abgeben. Der Termin näherte sich langsam, und ich hatte das Gefühl, jetzt wieder schreiben zu können. Die Stimme war auch wieder bei mir, seitdem Z meine Wohnung verlassen hatte.

Ich ging in ein großes Kaufhaus in der Stadt. Während ich verschiedene Schreibmaschinenmodelle miteinander verglich und die Prospekte studierte, erinnerte ich mich daran, was Martina zu mir gesagt hatte. Sie glaubte, dass ich an einem Roman schrieb. Der Hass auf das Wort „Roman" stieg wieder in mir hoch. Natürlich ist „Roman" nur eine Produktbezeichnung wie z.B. „Schreibmaschine", und ein Buch muss „Roman" oder „Erzählband" oder „Gedichtband" heißen, denn wenn es sich nicht einordnen lässt, kann man die Auflagenhöhe, die Zielgruppe, die Verkaufsstrategien und den Preis nicht festlegen. Deshalb hat das Wort eine wichtige Bedeutung. Ich hasse es aber. Wie schön wäre es gewesen, wenn die Stimme nicht zu einem Roman gehört hätte. Ich konnte nicht verstehen, warum sie sich etwas so Langweiliges zum Klangkörper gewählt hatte. Vielleicht war es aber befriedigend für sie, nicht in einem kleinen Text wohnen zu müssen. Die meisten Leser lesen nicht gerne kleine Texte, weil sie wenig Zeit haben. Sie gehen lieber in einem großen Roman spazieren, ohne sich zu verändern. Die kleinen Texte hingegen gehen in ihren Körpern spazieren, und das finden sie eher anstrengend. Als ich mit der neuen Schreibmaschine nach Hause kam und anfing zu tippen, gefiel mir plötzlich das Wort „Ethnologie" sehr gut. Es wunderte mich nicht mehr, dass ich kein Interesse an einem Liebesroman oder einem Abenteuerroman hatte. Ich wollte stattdessen kleine Berichte über die Einwohner dieser Stadt schreiben. Und wenn es mir nicht gelingen sollte, so wollte ich nur noch einzelne Buchstaben tippen.
Ich schrieb den Buchstaben Z zehnmal auf ein Blatt Papier und vernichtete es dann. Als ich auf das zweite weiße Blatt

starrte, bekam ich das Gefühl, dass ich jetzt etwas schreiben konnte, was ich noch nie in meinem Leben geschrieben hatte.

XI

Martina saß mit geschlossenen Augen auf dem Fußboden.

„Dreimal tief einatmen", sagte die Stimme von Z. Obwohl Martinas Augen geschlossen waren, konnte man an ihrem Gesicht genau sehen, dass sie seinen Blick suchte. Als er sie ansah, lächelte sie. Ich hatte ihr Gesicht noch nie so strahlen gesehen wie in diesem Augenblick.

„Und siebenmal langsam ausatmen."

Die kräftige Stimme von Z drang auch in meine Ohren. Martina atmete nach seinen Angaben ein und aus. Z nahm ihre Arme und bewegte sie langsam zuerst nach links, dann nach rechts und schließlich nach oben. Steif und weich zugleich, wie eine Spielpuppe, nahm sie verschiedene Körperhaltungen an. Sie schien von irgendeiner Idee, von der ich nichts wusste, fest überzeugt zu sein. Nach einer Weile wurde es im Zimmer dunkel. Martinas nackte Arme und ihre Brust leuchteten blass. Im Hintergrund sah man den Schatten des Vorhangs.

„Ich fühle mich besser", sagte sie. Ich lag wie eine Truhe neben Z. Obwohl Z es mir verboten hatte, beobachtete ich Martina mit leicht geöffneten Augen. Z erklärte ihr etwas mit sanfter Stimme. Martina begann, sich zu bewegen, als ob sie schnell ein viel zu enges Hemd, das an ihrer Haut festklebte und sie einengte, auszog. Sie warf mir die ausgezogene Kleidung zu. In Wirklichkeit hatte sie gar nichts mehr an. Mein liegender Körper nahm die unsichtbare Bekleidung auf. Es schmerzte mich nicht, es freute mich nicht. Ich blieb so liegen, wie Z es mir zuvor erklärt hatte, und versuchte, so wenig wie möglich zu atmen. Es fiel mir nicht schwer, denn ich fühlte mich wie ein Stein. Das war nicht schlecht, sagte Z nach seiner ersten Sprechstunde zu mir in einem sachlichen Ton. Ich hatte nicht verstanden, was Z eigentlich mit Martina gemacht hatte, und konnte ihn auch nicht danach fragen. Vielleicht wollte ich es auch nicht wissen.

Tags darauf suchte eine Frau, die ich nicht kannte, die Sprechstunde von Z auf. Wegen meiner Körperhaltung war es mir nicht möglich, das Gesicht der Frau zu sehen. Ich bemerkte aber sofort, dass sie den Blick von Z auf ihrem ganzen Körper spürte und ihn genoss wie eine Dusche. Bald fing auch sie an, sich so zu bewegen, wie ich es bereits bei Martina gesehen hatte, als würde sie etwas ausziehen und es mir zuwerfen. Es tat mir nicht weh. Ich hatte nur ein seltsames Gefühl, als ob ich woanders hingeschickt worden wäre, obwohl ich mich noch immer mit der Frau und Z im selben Raum befand. Ich war an diesem anderen Ort nicht einsam, aber allein. Wo ich war, waren zahlreiche Stimmen. Nicht nur die Stimme des Romans, sondern auch viele andere Stimmen umringten meinen Körper. Nachdem die Frau den Raum verlassen hatte, legte Z einen Hundertmarkschein auf meinen Tisch und verließ schweigend meine Wohnung.

Am nächsten Tag kam eine dritte Frau. Sie hatte eine heisere Stimme, die nicht ihre eigene, sondern die einer anderen, alten Frau war. Sie war besessen von dieser fremden Stimme und litt darunter, als wäre sie krank. Es war, als ob sie die Wörter, die sie aussprechen wollte, nicht aneinanderreihen konnte und deshalb sehr schlecht sprach. Kein Wunder, denn wenn eine andere Stimme immer dazwischen redet, vergisst man sofort, wie man den Satz beenden wollte. Als die Frau sich vor Z hinsetzte und die Augen schloss, schaute Z sie so lange an, bis ihr Gesichtsausdruck schmolz. Es wurde merkwürdig still. Dann zog sie etwas Unsichtbares aus und warf es auf meinen Körper. Nach einer Stunde bekam die Frau eine hohe, klare Stimme, die bei mir sofort Mitleid hervorrief. „Ein schöner Stein", sagte sie beim Gehen zu Z und meinte mich damit. Es war schon lange mein Traum gewesen, ein Stein zu werden.

Eines Tages kam Rosa in die Sprechstunde. Ich wusste nicht, auf welche Weise Z Reklame für seine Arbeit machte. Es kamen Frauen, die ich kannte und auch solche, die ich nicht kannte. Aber keine erkannte mich wieder, weil ich mein Gesicht mit einer hellgrauen, betonartigen Farbe dick übermalt hatte. Die Nase und der Mund sahen aus wie zwei Hügel, und die Augen wurden zu zwei Löchern. Auf die Wangen schrieb Z die Zahlen drei und sieben. Die Frauen blickten meistens am Anfang ganz kurz in mein Gesicht und taten so, als hätten sie nichts gesehen.

„Das sieht aus wie eine Uhr aus Stein", sagte Rosa, als sie mich sah.
Als ich sie am nächsten Tag beim Bäcker traf, grüßte sie mich freundlich und erzählte mir, dass ihre Halsschmerzen verschwunden seien, seitdem sie zur Meditation ginge. Ich war von dem Wort Meditation so überrascht, dass ich darauf nichts antworten konnte.
„Außerdem kann ich gut schlafen, seitdem ich meditiere.

Früher hörte ich die ganze Nacht eine bohrende Stimme in meinem Traum. Sie ist jetzt weg und ich bin zu meinem Selbst zurückgekehrt." Am nächsten Tag sprach ich Z darauf an und bat ihn, solche Ausdrücke nicht zu benutzen.

„Warum benutzt du solche Wörter?" – „Welche Wörter meinst du?" – „Meditation zum Beispiel."– „Was ist schlecht an diesem Wort?" – „Bekommst du keine Gänsehaut auf den Lippen, wenn du es aussprichst? Ich meine nicht, dass Meditation schlecht wäre, aber das Wort ..."

Z hörte mir nicht zu. Er war überzeugt, die Frauen von schlaflosen Nächten und von Krankheiten erlösen zu können. Er meinte, genau zu wissen, mit welchen Mitteln und mit welcher Sprache er sein Ziel erreichen konnte.

XII

Tag für Tag kamen mehr Frauen zur Sprechstunde. Fast jeden Tag musste ich mich neben Z hinlegen und zwei bis drei Stunden lang bewegungslos liegenbleiben. Dabei versuchte ich, der Stimme von Z nicht zuzuhören. Trotzdem sprangen ab und zu ein Satz oder mehrere Sätze in meine Ohren. Dann konnte ich meinen Körper nicht mehr stillhalten. Die Finger klopften leise auf den Fußboden oder der Bauch wackelte. Z schien nicht gemerkt zu haben, dass mir seine Sätze nicht gefielen. Z gewann sofort Macht über jede Frau. Eine Mischung aus Angst und Respekt überfiel die Frauen, wenn Z mit ihnen sprach oder sie schweigend anstarrte. Am Anfang zeigten die Frauen nicht, dass sie merkwürdig erschüttert waren. Sie saßen mit einem ablehnenden Gesichtsausdruck da, bis die Angst ausbrach. Nachdem sie zitternd und manchmal sogar heulend etwas erzählt hatten, wurden sie ruhiger. Das

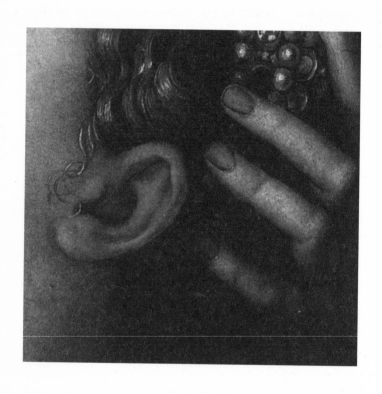

Fleisch in ihrem Gesicht blieb aber weiterhin steif. Ich habe nie jemanden bei Z lachen gehört.

Einmal konnte ich es nicht mehr aushalten. Ich begann leise, aber deutlich zu lachen, als Z zu einer Frau sagte, dass er sie befreien könne, indem er die Stimme der Mutter töte. Diese Stimme wohne im Körper der Frau und fresse ihre Kraft auf. Als die Frau gehorsam nickte, musste ich lachen. Wut und Lust lösten meine Bauchmuskeln aus der Versteinerung. Dann musste ich sprechen, um die Angst, die plötzlich da war, zu bekämpfen.

„Ich würde nicht die Stimme der Mutter töten. Ich würde mit ihr schlafen. Das wäre die schönste Form des Inzests."

Die Frau blickte mich erschrocken an, als hätte sie einen sprechenden Stein gesehen. Z schaltete sofort den Kassettenrecorder an. Eine Meditationsmusik löschte die Disharmonie, die ich in der Luft verbreitet hatte.

Nachdem die Frau uns verlassen hatte, bot Z mir an, mir in Zukunft nicht mehr wie bisher einhundert Mark, sondern zweihundert Mark pro Tag zu zahlen. Anscheinend verstand er mein Lachen als Erpressung. „Aber wieso brauchst du mich? Du kannst dein Spiel allein weiter spielen. Ich steige aus", antwortete ich schnell, noch bevor ich anfing, über das Geld nachzudenken.

„Nein, ich kann es nicht allein. Ich brauche einen Körper für die überflüssig gewordenen Stimmen, sonst funktioniert die Therapie nicht", erwiderte er.

„Ich bin doch kein Mülleimer."

„Für dich sind die Stimmen aber doch kein Müll, wenn ich dich richtig verstehe."

Ich schwieg.

Geld zu verdienen und dabei Frauen zu helfen, das ist doch keine schlechte Tätigkeit, oder?, sagte er sanft und legte seine Hand auf meine.

Es war für mich ein ganz neuer Gedanke, Frauen helfen zu wollen. Ich konnte nicht erklären, warum dieser Gedanke mir absurd vorkam. Außerdem war ich nicht sicher, ob die Frauen sich nach der Sprechstunde besser fühlten. Die meisten behaupteten zwar, dass die Stunde ihnen gut getan habe, aber in meinen Augen sahen sie aus, als hätte Z ihnen einen Knochen gebrochen.

Dieser Knochen kann ein unwichtiger, ganz kleiner Knochen sein, vielleicht ist er so klein, dass niemand von ihm weiß. Sein Ort und seine Funktion sind möglicherweise unbekannt und keiner sucht ihn. Dennoch ist es nicht zu übersehen, wenn er gebrochen ist. Ich sehe sogar tagsüber auf der Straße manchmal eine Frau mit einem gebrochenen Knochen entlanggehen. Sie kann gut angezogen oder dick geschminkt sein, sie kann fröhlich sein, sie kann im Schutzpanzer eines Autos sitzen, ich sehe trotzdem, dass der gewisse Knochen bei ihr gebrochen ist. Das bedeutet aber nicht unbedingt, dass sie van Z behandelt worden ist. Dafür sehe ich zu oft Frauen mit einem gebrochenen Knochen. Es muss noch viel mehr Menschen geben, die sich mit der gleichen Tätigkeit beschäftigen wie Z. Ich weiß aber bis heute nicht genau, was seine Tätigkeit ist. Er spricht mit Frauen, oder er starrt sie schweigend an. Mehr kann ich nicht erkennen. Wenn ich nachts aufwache, habe ich oft das Bedürfnis, etwas aufzuschreiben. Ich setze mich dann an den Schreibtisch und halte meine Finger über die Schreibmaschine, so lange, bis ich mich an das klappernde Geräusch erinnern kann, das ich von früher kenne. Es ist mir nicht mehr möglich, etwas über ein Thema zu schreiben. Oft fällt es mir sogar schwer, zusammenhängende Sätze aneinanderzureihen. Wenn ich nicht einmal einen Satz zu Ende schreiben kann, so tippe ich nur Worte, die mir spontan einfallen. Ich schreibe sie mit falschen Trennungen:

Nüt z lichkeit

Kot z en

Stür z en

Wenn ich aber am nächsten Tag wieder auf dasselbe Blatt schaue, finde ich nur eine Reihe von bedeutungslosen Worten und weiß gar nicht mehr, was ich hatte notieren wollen. Die gebrochenen Worte zu schreiben – das ist die einzige Tätigkeit, die mich beruhigt. Ich nehme dann das voll beschriebene Blatt Papier befriedigt in die Hand, als hätte ich etwas Wichtiges notiert.

Schmut z ig

Wur z eln

Schwit z en

Her z schlag

Kreu z

Ar z t

Schmer z tabletten

Blit z schlag

Net z haut

Z erplat z en

Impressum

© konkursbuch Verlag Claudia Gehrke 2014
PF 1621, D – 72006 Tübingen
Telefon: 0049 (0) 7071 78779 und 0049 (0) 172 7233958
Fax: 0049 (0) 7071 63539
E-Mail: office@konkursbuch.com
www.konkursbuch.com
Übersetzung der auf Japanisch geschriebenen Gedichte: Peter Pörtner
Gestaltung: Verlag und Freundinnen
(mit Ausschnitten aus Gemälden der Schule
von Fontainebleau und Landschaftsaquarellen
der Romantik).
Dank an Judith Grob.

ISBN: 978-3-88769-721-1
ISBN E-Book: 978-3-88769-963-5